Ce roman fait part

Prix du M
des lecteurs de Points

Le Prix du Meilleur Roman des lecteurs de Points, ce sont :
- 12 romans choisis avec amour par Points,
- 60 jurés lecteurs enthousiastes et incorruptibles,
- une présidente d'exception : Lydie Salvayre,
- une année de lectures, de conversations et de débats,
- un vote à bulletin secret, un suspense insoutenable…
- et un seul lauréat !

Qu'on soit libraire, éditeur ou simple lecteur, quand on a un coup de foudre, on n'a qu'une seule envie : le partager. Alors Points a voulu vous proposer une sélection, triée sur le volet, de ses découvertes les plus incontournables, celles qu'il serait égoïste de garder pour soi.

Qui sera le successeur de David Grossman, Steve Tesich, Joyce Carol Oates, Michel Moutot et Metin Arditi ?

PRIX
MEILLEUR
ROMAN
POINTS
SÉLECTION

Pour tout savoir sur les titres sélectionnés, donner votre avis sur ce livre et partager vos coups de cœur avec d'autres passionnés, rendez-vous sur
www.prixdumeilleurroman.com

Louis-Philippe Dalembert est né à Port-au-Prince et vit à Paris. Professeur invité dans des universités américaines et suisses, écrivain en résidence à Rome, Jérusalem ou Berlin, il publie depuis 1993 des romans, des essais, des nouvelles et de la poésie. Ses livres sont traduits dans de nombreux pays.

Louis-Philippe Dalembert

AVANT QUE LES OMBRES S'EFFACENT

ROMAN

Sabine Wespieser Éditeur

Avertissement

Ceci est une œuvre de fiction. Les situations décrites dans ce livre sont purement imaginaires, bien que l'auteur se soit appuyé en partie sur des personnes ayant existé et des événements ayant eu lieu.

TEXTE INTÉGRAL

ISBN 978-2-7578-6990-1
(ISBN 978-2-84805-215-1, 1ʳᵉ publication)

À la mémoire d'Arnold Israël,
qui fut à sa façon un père de substitution,
gardien tutélaire de mon enfance caraïbe.

Aux centaines de familles juives
qui ont trouvé refuge en Haïti avant
et pendant la Seconde Guerre mondiale.

Aux réfugiés d'hier et d'aujourd'hui.

« *Avant que fraîchisse le jour, que s'effacent les ombres...* »

Cantique des cantiques, II, 17

« *Je ne me sens aucunement gêné de dire qu'il y a une part juive en moi.* »

Mahmoud Darwich

« *... I have only good things to say about Haiti and the Haitian people.*
They are very nice to us and understanding.
There is no antisemitism. [...] Haiti became a second homeland for us. »

Otto Salzmann

PROLOGUE

Le vendredi 12 décembre 1941, par une paisible matinée caraïbe où le soleil, à cette époque de l'année, caresse la peau plutôt que de la mordre, la république indépendante, libre et démocratique d'Haïti déclara les hostilités au IIIe Reich et au Royaume d'Italie. L'annonce prit de court les citoyens, qui, tournés vers les festivités de Noël, avaient déjà oublié que, quatre jours plus tôt, incapable d'avaler l'anaconda de Pearl Harbor, leur bout d'île avait fait une virile entrée en guerre contre l'Empire nippon. L'information avait déboulé à la vitesse d'un cyclone force 5 sur la planète ; des centaines de millions de sceptiques avaient eu du mal à en croire, qui leurs yeux, qui leurs oreilles, selon qu'ils l'avaient lue dans les gazettes ou captée sur leur poste TSF. Les têtes couronnées du Japon et leurs fidèles sujets n'en étaient toujours pas revenus.

Il s'agissait cette fois de faire gober sa suffisance à Herr Hitler et, au passage, de voler au secours des malheureux Israélites. Premier pays de l'Histoire contemporaine à avoir aboli les armes à la main l'esclavage sur son sol, le tout jeune État avait décidé lors, pour en finir une bonne fois avec la notion ridicule de race, que les êtres humains étaient tous des nègres, foutre ! Article gravé à la baïonnette au numéro 14 de la Constitution.

11

Aussi existe-t-il dans le vocabulaire des natifs de l'île des nègres noirs, des nègres blancs, des nègres bleus, des nègres cannelle, des nègres rouges, sous la peau ou tout court, des nègres jaunes, des nègres chinois aux yeux *déchirés*… Dans la foulée, ces nègres polychromes avaient décrété que tout individu persécuté à cause de son ethnie ou de sa foi peut trouver refuge sur le territoire sacré de la nation. Et il devient *ipso facto* citoyen haïtien, c'est-à-dire placé sous la protection des esprits vaudou. Une promesse que les générations successives prendraient très au sérieux.

Depuis les lois raciales de Nuremberg et l'infâme Nuit sans nom, les fiers Caribéens rêvaient ainsi d'en découdre avec ce guignol gesticulant de Herr Hitler. On n'allait pas rester les bras croisés, laisser ces boufeurs de porc cru nazis génocider les Juifs, sans compter que ça nous permettrait d'étendre davantage notre influence dans le monde. Déjà, en 1939, le pays avait adopté un décret-loi afin d'octroyer la naturalisation immédiate – sans *grate tèt*, avait exigé le peuple souverain – à tous les Juifs qui le souhaitaient. Visiblement, ça n'avait pas suffi, il fallait passer la vitesse supérieure si on voulait apporter notre aide à ces pauvres Israélites. Mandater auprès d'eux les *mystères* du vaudou ? Pas sûr que leur *ménorah*, leur *mézouza*, leurs cordons *tsitsit* auraient trouvé grâce aux yeux de nos saints. Et puis, les *lwa* et l'eau, ça n'a jamais fait bon ménage. Depuis la traversée forcée à fond de cale de l'immense océan Atlantique, ils ont une horreur crasse de l'élément liquide. Même Agwe et La Sirène censés y vivre s'aventurent rarement à plus de trois mètres des côtes. D'ailleurs, pour ne pas avoir à aller chercher des partenaires de bagatelle en Afrique, les *lwa* avaient préféré fricoter avec les dieux chrétiens et amérindiens. Il ne faut donc pas leur parler de pureté de la race, d'authenticité identitaire et toutes ces conneries. Nous sommes tous des bâtards, point !

Ce vendredi-là, dans son adresse solennelle à la nation, le président frais élu Antoine Louis Léocardie Élie Lescot, commandant en chef des forces terrestres, navales et aériennes d'Haïti, informa ses chers compatriotes que, dès le lendemain, « nos bombardiers sillonner[aient] le ciel bleu de Berlin ». Le discours fit l'effet d'une bombe. Aux yeux du peuple qui s'y connaissait, ce n'était pas du caca de coq gaulois, l'Allemagne. C'était le symbole de puissance absolue. Tenez, les maringouins de la ville des Gonaïves, les moustiques les plus costauds de toute l'Amérique, qu'aucune aspersion massive d'insecticides n'a jamais su éradiquer, si vrombissants qu'on dirait des hélicoptères de combat, furent introduits dans le pays au XIXe siècle à bord des navires marchands teutons. Et voilà que le petit père Lescot nous mettait en situation de devoir les batailler.

Loin de s'enorgueillir, le peuple ingrat pointa du doigt la folie des grandeurs du président, qui avait fait sa proclamation à la première personne : « Je déclare la guerre à l'Allemagne et à l'Italie. » Comme s'il allait affronter seul, flanqué d'une armada de zombis invisibles, les hordes nazies. La population ne manqua pas non plus de souligner ses lacunes en matière de géographie, qui, le premier sous-caporal venu le sait, sert d'abord à faire la guerre. Comment imaginer un instant le ciel de Berlin bleu en plein mois de décembre ? Il n'a jamais mis les pieds hors de son île, celui-là ? Et puis, par quel miracle les quatre coucous venus de la Grande Guerre, l'essentiel de la flotte aérienne du pays, qui peinaient à enjamber la rivière Massacre pour venger le génocide de nos frères en foutant une rouste aux Dominicains, parviendraient-ils jusqu'en *Bochland* pour aller dégommer Herr Hitler de son bunker ?

Pour les plus avertis, c'était juste une question de logistique. On aurait été un chouïa mieux armé, il aurait vu ce qu'il aurait vu, ce pingre – *nazi* en créole haïtien signifiant aussi « grippe-sou ». On lui aurait fait bouffer sa moustache ridicule à Charlie Chaplin, dit un homme qui avait vu *Le Dictateur* la veille. On lui aurait tellement latté le cul que même sa mère n'aurait pu le distinguer d'un babouin. Mieux, on l'aurait fait filer droit, marcher SS, ajouta l'homme sous les ovations de l'auditoire, qui s'empressa d'intégrer l'expression dans sa langue… Depuis que leurs ancêtres avaient mis une branlée aux vétérans de l'invincible armada de Napoléon, les Haïtiens s'imaginaient terrasser les plus puissants de la planète, comme on écraserait un chétif insecte, d'un talon indifférent. Dans leur esprit, un Autrichien à la gestuelle de bouffon ou un nabot corse dressé sur ses ergots, c'était blanc bicorne, bicorne blanc.

L'espace du week-end, où les préparatifs des fêtes de fin d'année laissèrent la place à des chicanes virulentes aux quatre coins de l'île, la population ne fit aucune allusion au Japon. Il n'y avait pas de quoi fouetter un chat nippon. Des empereurs et des rois, ces excréments de la Terre, on en avait connu, et on les avait déchouqués chaque fois que cela s'était avéré nécessaire. Quant aux Spaghetti, leur Duce peinait à trouver le sommeil depuis la déclaration du 12 décembre, tant il craignait des Haïtiens la légendaire vaillance… Voilà comment, entre esbroufe et galéjades, s'écoula le week-end de l'entrée en guerre de la première république égalitaire d'Amérique afin d'extirper les infortunés Juifs de la mélasse nazie.

Le docteur Ruben Schwarzberg avait été parmi les rares à apprécier la valeur symbolique de l'allocution du nouvel homme fort de l'île, là où les natifs étaient prêts à parier que le petit père Lescot aurait décampé comme un rat de latrine à la vue, même en photo, d'un seul poil de la moustache d'Hitler. Échoué voilà deux ans à Port-au-Prince, dans des circonstances à la fois singulières et tragiques, il avait encore tout à apprendre de ce bout de terre montagneuse que, avant d'y mettre les pieds à l'âge adulte, le hasard avait déposé près de son berceau sous la forme d'un livre au titre prémonitoire : *De l'égalité des races humaines*, écrit par le médecin et intellectuel haïtien Anténor Firmin.

BERLIN

« La conception d'une classification hiérarchique des races humaines, qui est une des
créations doctrinales des temps modernes
[...], sera sans doute, un jour, la plus
grande preuve de l'imperfection de l'esprit
humain. »

ANTÉNOR FIRMIN
De l'égalité des races humaines

« Mais Abimélec le força de fuir, et le poursuivit, en lui tuant beaucoup de monde,
jusqu'à la porte de la ville. »

Juges, IX, 40

1

Le prénom

Le XXᵉ siècle avait treize ans quand le futur Dʳ Schwarzberg, benjamin d'une fratrie de deux enfants, naquit à Łódź, ville polonaise sous administration russe, érigée sur les bords de la Lodka, où l'expansion de l'industrie textile avait attiré des flots d'immigrés venus d'Europe centrale, et aussi d'Allemagne. La lignée des Schwarzberg dérivait de cette vague arrivée au siècle précédent, dont les origines allemandes s'étaient diluées dans des alliances contractées au fil des générations au point d'enfanter, dans certaines familles, des nationalistes hostiles à toute hégémonie étrangère. Toutefois, en dehors des traditionnelles tensions patrons/ouvriers, la cohabitation entre débarqués de la dernière heure, souchés de longue date ou depuis toujours se déroulait sans conflit majeur ; loin en tout cas de ce qui se passait dans d'autres villes du pays. À la naissance de Ruben, rue Poludniowa, à portée de voix de la petite synagogue Reicher, la communauté dont faisaient partie les Schwarzberg représentait près d'un tiers de la population de la ville.

Son prénom, il le dut à la force de persuasion et à l'esprit d'à-propos de son aînée Salomé, qui, dès le début visible de la grossesse, allait montrer un intérêt grandissant pour l'arrivée d'un nouveau membre dans la famille. On se tromperait toutefois à y voir de l'instinct maternel prématuré ou une espièglerie d'enfant à propos de l'origine du monde – à son âge, elle savait que les mioches naissaient de la rencontre dégoûtante d'un zizi et d'une zézette. Cette curiosité sans faille relevait plutôt du sens bien arrêté de ses privilèges. Très vite, la future aînée de Ruben avait commencé à cogiter, en priant fort pour que ce ne soit pas une gonzesse, toute disposée à lui voler la vedette auprès de son père et de l'oncle Joshua. Sans compter que les filles étaient des chochottes qui chialaient pour un oui pour un non. À moins de venir la soustraire du premier rang des sautes d'humeur maternelles, elle voyait plus d'inconvénients que d'avantages à cette présence nouvelle dans la maison, pour ne pas dire au monde. Il y avait déjà tellement de bouches à nourrir sur terre ! Faisant contre mauvaise fortune bon cœur, elle se mit néanmoins en tête de lui trouver un prénom. Pour la passionnée d'onomastique qu'elle était, le prénom déterminait le destin des individus. Au cas où le nouveau-né serait un garçon, comme elle le souhaitait (c'était un moindre mal par rapport à une fille), elle avait d'abord pensé à Shmuel, puis Badash, « savant » en polonais. Réflexion faite, elle avait jugé trop revêche la sonorité de l'un et l'autre prénoms tout en restant convaincue, du haut de ses sept printemps, qu'après trois générations de fourreurs la lignée avait assez tanné la peau des animaux.

L'idée lui vint alors de chercher du côté de la langue française, où elle était persuadée de trouver la perle rare. Une langue si fournie en merveilles ne pouvait pas la décevoir. C'est ainsi que *De l'égalité des races humaines*, dans lequel elle avait pioché les premiers rudiments de français, allait faire irruption dans la vie du futur Dr Schwarzberg. Sans le vouloir, sa mère Judith

22

l'y avait encouragée, qui n'avait de cesse de se vanter de pouvoir soutenir une conversation correcte dans la langue de Zola.

Du plus loin qu'elle se souvienne, Judith avait toujours considéré sa ville natale comme une manière de *soukka* géante à ciel ouvert, un lieu où elle ne se voyait pas traîner sa carcasse quand celle-ci serait bien vieille, au soir à la chandelle ou que, fantôme sans os, elle prendrait son repos, récitait-elle. Loin d'être du désamour, il s'agissait en fait d'une antique insécurité, ce sentiment de ne se sentir nulle part chez soi, qui avait traversé plusieurs générations de Juifs pour venir échouer dans son corps de femme. Le vœu « L'an prochain à Jérusalem », formulé à chaque clôture de Pessa'h, avait contribué à la renforcer. Comme s'il fallait à tout prix, à un moment ou un autre, poursuivre la vieille errance ancestrale, pareil à des nomades happés par l'appel de l'horizon. Pour la pieuse femme qu'elle se voulait être, il était hors de question de faire mentir la malédiction de Celui qu'on ne nomme pas. D'où sa volonté, très tôt, d'apprendre une langue étrangère afin que, en attendant de faire son *alya* – n'en déplaise à son mécréant de mari –, elle puisse s'établir sans difficulté ailleurs. Elle avait jeté ainsi son dévolu sur Paris et le français, qu'elle s'appliqua à étudier dans les romans de Stendhal et de Flaubert. Depuis, tout en vaquant à ses occupations, elle déclamait « la plus belle langue du monde », écorchait les mots avec emphase, et avec la certitude d'être passée à côté d'une grande carrière de tragédienne pour épouser cet âne bâté de Néhémiah, rétif à toute élévation de l'esprit. Elle avait le sentiment, inexplicable du reste, car elle n'y avait aucune attache particulière, que la famille serait à l'abri sur les bords de la Seine. Paris était la ville natale de Zola, l'auteur de *J'accuse*. La capitale du pays où les membres de la communauté jouissaient, depuis 1791, de l'égalité des droits avec les autochtones. Un Juif ne pouvait qu'y être heureux. *« Azoy gluckor wi a yid in Paris. »* Tonnerre de Brest !

Aussi la visite de son jeune frère Joshua dans la Ville lumière n'avait-elle rien eu du voyage d'agrément. En plus de trouver des clients ou des partenaires d'affaires dans le quartier du Sentier, Joshua avait pour mission d'y nouer des contacts utiles afin de s'en servir, le moment venu, comme base de repli pour la tribu. C'est donc à Paris, sur les quais de Seine et les étals d'un bouquiniste à la fois ronchon et séducteur, que le jeune homme avait trouvé l'ouvrage de l'Haïtien et l'avait rapporté à la maison. Le titre l'avait intrigué, puis touché quand il découvrit dans la préface une réponse à l'*Essai sur l'inégalité des races humaines* du comte Joseph Arthur de Gobineau. Il n'eut pas trop de peine à déchiffrer l'essentiel des propos de l'auteur, grâce à son français plus dégourdi que celui de sa sœur, dont il avait hérité, à l'en croire, de l'épouse du consul de France à Łódź, une maîtresse hors pair, pas seulement pour l'enseignement de la langue.

Voilà comment, selon la chronique familiale, le livre avait fini par atterrir dans les mains de Salomé, qui y apprit ses premières notions de français avec, une fois n'est pas coutume, la complicité de sa mère. Et comme tonton Joshua n'était pas avare de cadeaux ni de flatteries à son endroit – princesse par-ci, prunelle de mes yeux par-là –, compliments d'autant plus sincères que ce célibataire endurci et jouisseur n'avait pas de descendance connue, elle savait le payer en retour : en demandant au conteur impénitent de lui raconter pour la énième fois les lumières de Paris, ou en s'intéressant à l'ouvrage qu'elle le voyait lire avec tant d'attention. Toutes les occasions étaient bonnes pour faire étalage de ses progrès afin de s'attirer les faveurs de son oncle, que Judith accusait de gâter sa fille et de la rendre encore plus peste.

La bataille finale pour le prénom eut lieu le jour de la naissance du Dr Schwarzberg. Sa venue au monde fut l'œuvre d'une matrone replète et peu amène, qui avait pris soin de placer la naissance sous la protection du *Livre des livres*, et du psaume 122 qu'elle avait déposé sur la table de chevet accolée au lit de la parturiente en toute discrétion, afin d'éviter les engueulades du père de famille, pour qui un accouchement tenait d'un savoir-faire et non du miracle. Cet agnostique convaincu en avait déjà marre que sa femme l'ait forcé à fixer de ses propres mains – aux yeux de celle-ci, c'était un travail d'homme – une *mézouza* sur le linteau de chaque porte. En plus de toute une série de contraintes dont il se serait bien passé, elle avait imposé au sein du couple, et sans lui demander son avis, les dures lois de la *nidda*, qui le laissaient des jours entiers avec une gaule pas possible, quand le brave Néhémiah, en pleine santé physique, rêvait de régime conjugal autrement plus généreux.

Une fois la bassine d'eau chaude et les serviettes blanches prêtes, ses mains désinfectées dans un bain de savon de Marseille et d'alcool à 90°, la sage-femme s'apprêtait à déclencher le travail quand elle s'aperçut de la présence de Salomé, tapie dans un coin de la chambre conjugale où se déroulait l'accouchement. Elle n'avait pas hésité un instant, et l'avait virée comme une mal-propre. « C'est pas la place d'un enfant. Allez, ouste », fit-elle en claquant la porte au nez de Salomé. C'était mal connaître celle qui deviendrait, avec le temps, la « Petite mère » de Ruben. Elle feignit de s'éloigner avant de revenir s'asseoir dans l'angle mort du couloir en L, les bras enlaçant ses jambes ramenées sous le menton, l'oreille attentive à ce qui se passait de l'autre côté de la paroi. Dans le va-et-vient inquiet des adultes : les grands-parents maternels, tante Ruth, son père – tonton Joshua devait être en voyage d'affaires –, plus personne ne fit attention à elle. La délivrance allait durer la nuit entière, sans venir à bout pour autant de sa curiosité et de sa fatigue. Malgré un positionnement pour le moins inconfortable et les somnolences fréquentes, le dos appuyé contre le mur, la tête courbée tantôt sur la poitrine, tantôt sur une épaule.

Comme pour justifier le temps long de son arrivée, le bébé s'était présenté au petit matin les pieds les premiers, lourd de quatre kilos et demi, témoignage gluant et gigotant du penchant de la mère à faire bonne chère. Les efforts pour s'extirper de l'enveloppe placentaire ne l'avaient pas empêché de débarquer le sourire aux lèvres, tout heureux de sa venue au monde. Indifférent à l'automne au-dehors, à ses pluies lentes et continues. À la vue du garçon, rose et joufflu, l'accoucheuse en sueur ne put s'empêcher d'essuyer quelques larmes d'émotion du revers de sa main potelée, comme si elle en avait été à sa première délivrance, alors que sa tignasse gris cendre, les pattes d'oie abondantes aux commissures de ses lèvres et son sang-froid dans la conduite du travail dénotaient une expérience certaine.

En dépit de ses réserves initiales, Salomé, elle aussi, fut émue aux larmes à la vue de cette boule de chair toute chiffonnée, au point d'oublier la fatigue de la nuit sans sommeil véritable. Elle resta émerveillée devant les grands yeux d'opale qui semblaient la fixer avec étonnement quand elle l'accueillit dans ses bras, sous l'œil sévère de la matrone. Elle trouva la bouille toute ronde de son cadet, auréolée de deux oreilles à demi décollées qui, enfant, le feraient ressembler à Kafka, aussi féérique qu'un rubis. De rubis, un mot français trouvé dans *De l'égalité des races humaines* et dont elle adorait la consonance, à Ruben, le rapprochement fut vite fait. « Ruben ! Il s'appellera Ruben », jubila-t-elle. Incapable de refuser quoi que ce soit à sa fille, Néhémiah abonda dans son sens et envoya à la trappe les Simon, David, Moshe et autres Shlomo, envisagés dans l'intimité de leur lit avec sa femme. Judith résista la journée entière – si les enfants se mettaient maintenant à décider des prénoms de la fratrie –, avant de capituler sous la pression conjuguée des autres membres de la tribu. À cause aussi du fait – mais ça, elle ne l'avoua jamais – que le prénom avait un lien avec la Torah : c'était celui du premier fils de Léa et de Jacob, le patriarche de l'une des douze tribus d'Israël.

Voilà comment Ruben hérita de son prénom et apprendrait à son tour à lire, sous la férule de sa sœur, dans le livre d'Anténor Firmin. À quatre ans, il était capable de situer Haïti sur la carte du monde reproduite dans la grande encyclopédie dorée sur tranche qui trônait tel un trophée sur les rayons de la bibliothèque familiale, de face et à demi ouverte afin de tenir debout. À portée des bras de son aînée et de sa vocation précoce d'institutrice. On y devinait le relief bosselé, les contours qui suggéraient la gueule ouverte d'un caïman engloutissant, en une seule bouchée, l'île de la Gonâve. Salomé n'était jamais à court d'imagination quand il s'agissait d'évoquer l'excroissance nord-ouest du pays : l'île de la Tortue. Elle en faisait surgir des pirates borgnes et unijambistes, à l'haleine de mammouth, qui parlaient tour à tour polonais, yiddish et français. Pour le plus grand bonheur de son petit frère. Elle fut la première à lui apprendre que des Polonais, « comme nous », avaient aidé le pays d'origine de l'auteur à devenir indépendant. Le petit Ruben eut beaucoup de difficulté à comprendre le concept. « C'est simple, dit son aînée – oncle Joshua le lui avait expliqué –, c'est quand tu ne dépends de personne d'autre que de toi-même. Par exemple, quand nous serons grands, nous serons indépendants. »

Des années plus tard, le vieux docteur ne se rappellerait pas que l'idée de ne plus dépendre un jour de ses parents lui avait enlevé le sommeil toute une semaine. Pas plus que de sa ville natale, de la maison où il vit le jour et où il vécut les cinq premières années de sa vie, il ne se souviendrait de rien. Ou presque. Hormis les rumeurs incessantes du parquet crissant sous les pas des huit membres de la tribu familiale. Hormis aussi le plafond si haut qu'il faisait chavirer le regard, à trop pencher la tête en arrière pour le regarder. Pour éviter le tournis, il se retrouvait souvent allongé sur le dos, les yeux perdus dans la contemplation de ces hauteurs plantées, au salon, d'un lustre à sept branches, inaccessibles à l'époque. Peut-être le vertige ressenti provenait-il de la profondeur de son imagination et de ses rêves d'enfant. Peut-être que le premier adulte de taille moyenne venu aurait pu le toucher en allongeant la main. Il n'aurait su jurer de rien.

En revanche, ce dont il se souvenait pour sûr, c'était de l'odeur de la maison. Une odeur de peau âcre, tenace, venue de l'atelier du rez-de-chaussée où son père Néhémiah, fourreur de son état, travaillait du lever du soleil à la tombée de la nuit. La maison en était imprégnée en permanence ; et elle restait collée aux vêtements, au corps, aux murs même, malgré les longs bains et les artifices multiples de sa mère pour s'en débarrasser : porte hermétiquement close entre le rez-de-chaussée et le premier étage, fumigation d'encens, vaporisation de parfums de son cru, courant d'air en plein hiver… Rien n'y faisait. Longtemps, même ailleurs, il aurait l'impression tangible d'avoir l'odeur dans le nez. Celle-ci n'était, à la vérité, ni agréable ni désagréable. Elle était juste là, présente, forte, comme le prolongement naturel de la maison familiale et de sa ville de Łódź. À part cette odeur qui, aujourd'hui encore, revenait par moments, aussi vraie que l'origine de son prénom, et le mot yiddish *Bobe*, qu'il continuerait d'utiliser pour dire grand-mère, il ne se rappellerait plus rien. On eût dit qu'une force suprême s'était amusée à effacer de sa mémoire tout souvenir de là-bas. Et personne, pas même sa mère, n'aurait su déceler dans le bégaiement qui suivrait, alors que jusque-là il savait être une vraie pipelette, les traces de la vie d'avant. De la perte brutale de Łódź et de sa prime enfance.

2

Exode 1

Le petit Ruben avait cinq ans bien comptés et la tête pleine d'histoires de pirates caraïbes lorsque la famille décida de s'établir de l'autre côté de la frontière. Les cendres de la Grande Guerre fumaient encore ; dans la foulée, un nouveau brasier s'était rallumé entre le tout jeune État polonais et l'ogre soviétique naissant. L'idée revenait sur la table des Schwarzberg-Livni (tante Ruth y tenait, la femme devait garder son patronyme au mariage) depuis un moment déjà, pomme de discorde par excellence. Il y avait d'un côté les pour, oncle Joshua en tête, qui avait vu du pays et savait qu'on peut toujours refaire une vie ailleurs, plus belle, plus loin de ses cauchemars, et de l'autre les farouchement contre, dont le porte-parole Néhémiah n'avait jamais voyagé et tenait mordicus qu'il n'y avait rien ailleurs qu'on ne puisse trouver chez soi. Bobe, elle, dans son souhait de ménager la chèvre et le chou, parce qu'on est une famille et qu'il n'y a pas de quoi en faire un plat, n'était jamais ni pour ni contre, bien au contraire. Certains soirs, après le dîner qu'elle avait passé l'après-midi à préparer, entre la wiśniówka et le café, la polémique grondait au milieu de la fumée des cigarettes, des phrases sentencieuses de Judith, habituée à mener la barque familiale et ne supportant pas de trouver son mari en travers, des mots rares

31

de Papy tirant sur son éternelle pipe en os noir, si rares que tous se taisaient pour l'écouter avant de redémarrer au quart de tour. Et ça gesticulait, ça hurlait, à côté, les sons des shofars de l'autre Joshua pour dézinguer les murs de Jéricho étaient souffle de tubard, à telle enseigne qu'une Salomé en pétard sortait par moments de sa chambre pour réclamer silence, menaçant sinon de sécher les cours le lendemain ; Ruben, lui, aurait dormi sur ses deux oreilles au mitan des tranchées et du dialogue tonitruant des canons de la Grande Guerre. Bref, toute une coupure de cheveux en menus morceaux, héritée de cette maudite culture talmudique, éructait un Joshua exaspéré quand les mots venaient à lui manquer pour décider les autres. En définitive, ce fut l'actualité brutale de Pinsk, au cours de laquelle une quarantaine de membres de la communauté avaient trouvé la mort sous les balles des soldats de leur propre pays, qui vint mettre fin aux tergiversations des uns et des autres. Peu importe que la ville de Pinsk fût distante de plus de cinq cents kilomètres de Łódź, les nouveaux événements furent la paille de trop qui cassa le dos du chameau.

D'aussi loin que remonte l'historiographie familiale, jamais décision n'avait été prise dans un laps de temps aussi court. Le benjamin de Judith et de Ruth, devenu oncle Joe depuis que Ruben, enfant, avait trouvé « Tonton Joshua » trop difficile à prononcer, fut le véritable maître d'œuvre de ce chamboulement dans la vie jusque-là peinarde des Schwarzberg-Livni, le premier pas en fait d'une longue marche dont, à l'heure de ces zizanies, aucun membre du clan n'avait idée. De toute façon, il en aurait fallu plus pour impressionner les héritiers d'un peuple habitué à marcher depuis la nuit des siècles. Depuis Sodome, depuis Gomorrhe. Depuis l'Égypte des pharaons. Esprit prévoyant et pragmatique, oncle Joe avait compris très tôt que, sur cette foutue terre où il lui était donné de vivre, l'être humain pouvait servir Elohim un jour, et être amené le lendemain à faire des courbettes à Mammon, l'essentiel étant de ne cracher sur la tombe ni de l'un ni de l'autre, dicton de son cru dont il raffolait, mais qu'il se gardait bien de prononcer devant la sœurette pour ne pas se la mettre à dos. Nul n'aurait pu dire, en tout cas, à quel moment ni par quel biais il avait noué les contacts nécessaires dans la capitale allemande. Moins encore avec qui, membre de la communauté ou goy, infidèle ou bigot, il avait négocié la vente de la maison familiale, en attendant d'accorder les violons de tout un chacun et gommant par la même occasion les premiers souvenirs du futur Dr Schwarzberg. Toujours est-il que la tribu, qui lui vouait une confiance aveugle, l'avait suivi. Enfin, pas tous. Car si tante Ruth, les grands-parents, Judith, pourtant difficile à convaincre, avaient compris le bien-fondé de la démarche, il fallut expliquer par le menu à Néhémiah comment il allait pouvoir remonter son atelier de fourreur là-bas, que, du travail, il y en aurait à foison, les Allemands étant gens fortunés et de bon goût. Il verrait ses affaires prospérer dix, cent fois la mise, et lui apporter les moyens d'offrir un avenir fait de lait et de miel aux siens, Salomé pourrait réaliser de longues études, comme il en rêvait, et ne dépendre, même amoureuse, d'aucun mari. En un mot comme en cent, la prospérité l'attendait sur les rives de la Spree, il n'aurait qu'à se baisser pour la ramasser, ce n'était pas la manne, mais pas loin. À la vérité, Néhémiah rechignait à quitter la terre où les siens, descendus de la Bavière, avaient pris racine depuis cinq générations.

« La situation finira bien par s'arranger, dit-il. Beaucoup de membres de la communauté sont partis. Il faut dire aussi qu'on était bien nombreux ici. Peut-être que c'était trop…

– Non mais, tu t'entends parler ? Ressaisis-toi, Néhémiah. Si j'ai bien compris, fit Joshua, pour ne pas déranger ou faire peur, tu nous demandes de raser les murs, d'accepter le rôle de citoyen de seconde zone, c'est ça ?

– Ce n'est pas ce que j'ai dit.

– Tu le penses tellement fort. Dis-toi bien que les autres ne te respecteraient pas plus pour autant. »

Devant les risques d'enlisement et d'échauffement inutile des neurones, Papy et Bobe durent monter au créneau. Néhémiah avait une grande affection pour ses beaux-parents, en particulier Bobe, une sainte femme, qui passait du rire aux larmes avec une facilité déconcertante, et dont il avait fait une alliée de poids, au soutien indéfectible les jours où son épouse lui tenait la dragée trop haute. Avec son tact et sa douceur légendaires, Bobe réussit à le convaincre de fermer l'atelier sans trop traîner les pieds ; Judith, elle, avait bouclé ses valises depuis plusieurs jours sans, bien sûr, lui demander son avis.

Voilà comment, peu de temps après les événements de Pinsk, la famille Schwarzberg traversa la frontière avec l'Allemagne, avant de prendre la direction de Berlin, pour s'établir à Charlottenbourg, dans une rue boisée perpendiculaire au Kurfürstendamm, une avenue en plein essor. Le cœur de la ville, en fait, où se brassaient des affaires de la plus douteuse à la plus noble, de l'art d'avant-garde à la vente de bétail, les produits légaux côtoyant les objets de contrebande. Au départ, ces rues grouillant d'une faune de tout acabit ne plurent pas à Judith, qui s'imaginait plutôt installée à Paris, longeant le boulevard des Italiens une écharpe en soie sur les épaules pour assister aux concerts de l'Opéra, ni non plus à Salomé, dont le français s'améliorait de jour en jour grâce, entre autres, à la lecture assidue du livre de Firmin et aux discussions qui s'ensuivaient avec son oncle. Ce fut d'ailleurs le seul ouvrage, hormis une copie de la Torah, que la famille emporta dans son exode.

Ruben et les siens ne mirent pas long à trouver leurs repères dans la capitale teutonne. La vie culturelle foisonnait d'offres, toutes aussi excitantes, et n'avait rien à envier à celle de la Ville lumière. Avec le temps, la sœur et la nièce de Joshua prirent conscience de leur chance : habiter dans les parages d'une artère considérée comme les Champs-Élysées de Berlin n'était pas donné à tout le monde. Ce qui n'empêcha pas Judith de dire, en pensant à Paris :

« Dans la vie, c'est comme ça : faute de grives, il faut se contenter de merles. Seul Jérusalem n'est pas interchangeable.

— Et ce cher Néhémiah, renchérit Joshua pour la faire rager.

— Les maris, ce n'est pas ce qui manque dans la communauté, rétorqua-t-elle. On peut même en trouver qui ne t'obligent pas à respirer la peau de bêtes mortes à longueur de journée. »

Au fond, derrière ses piques continuelles et son air détaché, Judith savait bien que, malgré son peu de goût pour la foi et les choses de l'esprit, elle ne troquerait son Néhémiah pour aucun autre homme. Même en Palestine, elle n'aurait accepté de monter sans lui.

Une fois ses marques trouvées dans sa nouvelle vie, la famille du futur Dr Schwarzberg entreprit de faire prospérer ses affaires. Oncle Joe avait vu juste : les opportunités ne manquaient pas dans le Berlin des Années folles. Très vite, le père de Ruben dut déménager l'atelier de fourrure quelques rues plus loin, dans la cour intérieure d'un immeuble où il installa aussi une boutique de vente au détail, qui servait de vitrine à son activité. Dans la foulée, il embaucha deux employés à temps plein, en plus des postes de secrétaire comptable de tante Ruth, de commis-voyageur d'oncle Joe, de l'apprenti et des travailleurs occasionnels, dont Papy. Judith avait refusé tout emploi dans l'atelier, « pour ne pas avoir Néhémiah dans les pattes toute la sainte journée », même s'il lui arrivait de mettre la main à la pâte pour aider à honorer une grosse commande. En dehors de ces périodes, elle veillait au quotidien à l'éducation des enfants et disposait de temps libre pour ses activités de l'esprit, la pratique du piano et la lecture de romans en français, dans laquelle elle disparaissait corps et âme, selon le mot de sa sœur Ruth. Inutile, dans ces moments, de lui adresser la parole. Elle avait une excuse toute trouvée : son mari lui avait promis un voyage à Paris pour leurs noces d'argent. Et les Parisiens, c'est connu, sont peu patients avec ceux qui mastiquent mal leur langue, une manière habile, au fond, pour cacher leurs propres lacunes dans celle des autres.

Ruben passa cette période occupé à grandir et à conquérir sa ville d'adoption à travers son réseau de camarades de classe, dont une grande partie s'était prise d'affection pour ce petit Israélite à la parole en lambeaux, surtout en situation émotive, au visage piqué de taches de rousseur et aux oreilles à la Kafka. Son père avait tenu à ce qu'il intègre l'école publique du quartier, refusant l'idée d'établissement confessionnel de la mère. Il avait fallu l'intervention du clan tout entier, la sagesse de Papy et le sens de la diplomatie de Ruth, pour amener les deux belligérants à enterrer la hache de guerre, signant au passage la capitulation de Judith. Sa deuxième grosse défaite depuis l'épisode du prénom. Elle jura ce jour-là qu'il n'y en aurait pas une troisième. Tous, même tante Ruth, étaient convenus que l'inscription dans une école confessionnelle aurait constitué un repli sur soi. Ils avaient besoin de s'ouvrir au monde, de tisser le plus de liens possible en dehors de la communauté, surtout pour les enfants.

« C'est par méconnaissance de nos traditions, dit Papy, que les gens nous voient comme une caste fermée, qui passe son temps à ourdir des complots contre la terre entière, et nous prêtent des intentions plus farfelues les unes que les autres.

– Tu ne peux pas nier que certains d'entre nous sont fermés aux autres. Si ça dépendait de ces gens-là, on serait toujours fourrés dans un ghetto, dit Néhémiah, le regard appuyé en direction de sa femme.

– C'est un réflexe humain », éluda Papy.

Ruben allait réussir un parcours académique exemplaire, sous la supervision de son aînée, qu'il appellerait désormais petite mère, bien décidée à en faire le premier médecin de la tribu Schwarzberg. À la vérité, la tâche de Salomé se résumait à trousser des compliments à son cadet, qu'elle devait convaincre parfois de remiser cahiers et manuels scolaires afin de s'aérer l'esprit. *« Mens sana in corpore sano »*, lui martelait-elle. Bosseur impénitent, le bonhomme nourrissait son envie des étoiles qu'il voyait s'allumer dans les yeux des femmes de la famille. Y compris ceux de sa mère, qui avait choisi, trop fière du succès de son rejeton, d'oublier ses bisbilles avec le père et ses affirmations cassantes sur les limites de l'instruction publique. Une institution que Salomé ne tarda pas à intégrer : garder un œil sur la scolarité de son cadet avait réveillé une vocation latente d'institutrice.

Le seul souvenir désagréable de cette période remontait au jour où Ruben s'était bagarré comme un chiffonnier avec le cancre de la classe, qui lui avait tiré les cheveux en le traitant de sale youpin. Il devait avoir une dizaine d'années, et si le sens de l'expression qu'il entendait pour la première fois lui échappait, le regard haineux de son camarade ne laissait pas de doute. Jamais quelqu'un ne l'avait fait sentir si différent, comme s'il eût appartenu à une espèce autre que la race humaine. Malgré son caractère réservé, il n'était pas du genre à se laisser faire, et cela s'était terminé en un pugilat qui leur avait valu une punition à tous les deux. Mais l'autre tête de lard avait eu le temps de recevoir une magistrale dérouillée, dont il devait se souvenir s'il était encore de ce monde. Ruben était rentré à la maison, la poitrine gonflée des pleurs que son orgueil lui avait interdit de verser. Sa grand-mère lui avait alors pris la main, attrapé au passage un des gâteaux dont elle avait le secret, avant de l'installer sur ses genoux. Et là, tout en dévorant la pâtisserie, il avait calé la tête entre les seins abondants de sa Bobe et s'était laissé emporter dans un tourbillon de câlins et de berceuses.

Après les études secondaires, le jeune Ruben fut admis haut la main à l'école de médecine de Berlin. Salomé en pleura d'émotion, avant de l'inviter, pour célébrer l'événement, dans un restaurant à la mode du Ku'damm, puis au Komödie assister au spectacle *Es liegt in der Luft* (« C'est dans l'air »). Ruben resta sidéré devant la performance pleine d'audace et la voix rauque de Marlene Dietrich, qui s'apprêtait à devenir l'une des icônes internationales du XXe siècle. Elle avait *Ein je-ne-sais-pas-quoi* de troublant qu'on garde en mémoire toute une vie. À ses côtés, l'étoile de l'actrice française Margo Lion, pourtant loin d'être un faire-valoir, avait paru bien pâle. Cette nuit-là, il eut du mal à trouver le sommeil tant la comédie musicale l'avait bouleversé. En plus de la rapprocher davantage de sa sœur et de Berlin, elle avait laissé en lui un sentiment profond et étrange à la fois : celui, pensa-t-il, d'avoir touché le bonheur du doigt.

Ruben terminait la deuxième ou la troisième année de médecine lorsque le petit caporal accéda au pouvoir. On était au mitan de l'hiver 1933, l'un des plus rigoureux depuis le début du siècle, comme un prélude climatique aux mois et aux années à venir. Très vite, le nouveau chancelier et son entourage allaient révéler leur véritable visage au monde. Jamais pourtant, pendant cette période, Ruben n'avait ressenti de malaise dans sa relation avec les autres. Peut-être parce qu'il vivait coupé du monde, la seule façon de mener à bien des études aussi exigeantes. Peut-être parce que rien, dans son accent ni dans son physique, ne le différenciait d'un natif de Berlin. Le fait d'être né ailleurs était un vague souvenir que venaient lui rappeler parfois ceux de sa famille, ou de rares curieux qui souhaitaient connaître l'origine de son prénom. La naissance quelque part, tel était son credo, relève du hasard ou de la volonté d'autres personnes que soi. Après, on assume, ou pas, l'endroit qui nous a vu naître. En fonction de l'histoire que l'on y aura vécue. Des gens qui nous auront appris à l'aimer, à s'y attacher. Le futur Dr Schwarzberg n'avait pas d'explication à la bienveillance de ses camarades étudiants à son égard. Ni plus tard à celle du personnel de l'hôpital où il fit son internat, sur recommandation de l'un de ses professeurs, qui l'avait pris en affection. Il n'avait rien fait de particulier pour s'attirer les faveurs de ce tuteur, aussi brillant médecin que fin lettré et grand humaniste, qui admirait sincèrement sa compétence et son sens du devoir. À y repenser bien des années après, il se dirait que le professeur fut l'ange gardien que le destin avait placé sur son chemin.

Dans l'intervalle, la tribu avait profité d'une opportunité, une idée d'oncle Joe, pour acquérir l'immeuble dont ils louaient deux étages depuis l'arrivée à Charlottenbourg. Papy et Bobe restèrent au rez-de-chaussée pour ne pas avoir à engager leur vieillesse dans les hostilités quotidiennes avec les escaliers trop raides. Ruben, Salomé et leurs parents récupérèrent le premier étage, Ruth le second, oncle Joe le troisième, qui lui servait de dortoir lorsqu'il était à Berlin, une semaine sur deux. Le reste du temps, il prenait ses repas chez l'un ou l'autre, tout en s'incrustant pour taper la discute, exposer l'une de ses idées farfelues pour s'enrichir, sous l'œil admiratif de ses frangines. Le quatrième et dernier étage fut loué à un couple de *goyim* originaires de Brême, dont les enfants étaient aussi bruyants et capricieux que les parents discrets. Des gens si avenants que même Judith ne trouva à redire.

En réalité, cette répartition n'avait pas grand sens, car toute la tribu se retrouvait la plupart du temps dans le salon-salle à manger de Bobe et de Papy, sans s'être annoncée au préalable. Bobe avait toujours une casserole de *tcholent*, un plat à base de viande de bœuf, de haricots et de pommes de terre, à mijoter sur le feu, et dont l'odeur emplissait soir et matin l'immeuble, du rez-de-chaussée au quatrième étage, même les jours de shabbat, au grand dam de Judith qui supportait mal ces accrocs à l'orthodoxie, mais n'en mangeait pas moins de bon appétit, à sa mère de résoudre le problème avec Celui qu'on ne nomme pas. Les ingrédients de ce plat furent les seuls mots allemands que Bobe accepta d'apprendre : « *Rote Bohnen, Köcher Fleisch und Kartoffeln.* » Au besoin, elle s'appuyait sur les autres membres de la maisonnée.

Ainsi se déroula la vie des Schwarzberg durant ces Années folles, entre rires et pleurs, entre les aspirations à l'enracinement sur la nouvelle terre et les souvenirs de jour en jour plus lointains de Łódź que venait voiler ou illuminer la missive d'un parent, d'un ami resté là-bas, d'une connaissance de passage. Les rares fois où il arrivait au Dr Schwarzberg de revisiter l'enfance, il ne pouvait s'empêcher de penser à l'odeur persistante du *tcholent* de Bobe qui savait remonter l'escalier de l'immeuble de Berlin pour venir l'arracher à ses études. Une odeur qui, comme celle de la maison de Łódź, lui était restée collée au nez, et un goût qu'il n'avait jamais retrouvé depuis.

3

L'anniversaire

Le mercredi 9 novembre 1938, la famille Schwarzberg-Livni fêtait les quarante ans de tante Ruth. Ce soir-là, le dîner fut servi plus tôt, Néhémiah devait retourner à l'atelier boucler une livraison urgente. Et pour le père de Ruben, fils unique, une curiosité à l'époque, il était hors de question de rater le repas d'anniversaire de sa belle-sœur, employée et non moins associée, car l'affaire appartenait à parts égales aux membres adultes de la tribu, une partenaire qu'il avait vue grandir, ayant épousé son aînée à l'âge de dix-huit ans, alors qu'elle-même en comptait huit, et avec laquelle il s'entendait à merveille. Jamais une anicroche entre ces deux-là ; au contraire, leur complicité n'avait cessé de s'affermir au fil des ans. « Copains comme cochons », avait coutume de dire Judith pour qui cette expression, qu'elle veillait toujours à utiliser en français, avait le double parfum de l'exotisme et de l'interdit. D'où l'idée du dîner d'anniversaire à dix-huit heures tapantes, pour permettre à Néhémiah d'y prendre part et d'honorer la commande.

Comme pour toutes les occasions exceptionnelles, Bobe avait été à la manette depuis la veille, mettant les petits plats dans les grands et son mari à la corvée, sortant les verres en cristal de Bohême reçus de sa mère qui, elle-même, en avait hérité de la sienne, rapportés de

Łódź sous empaquetage spécial avant d'aller rejoindre la partie supérieure d'une crédence dont la fabrication devait remonter à la fondation de Jérusalem ; hormis dans ces rares occasions, ils la quittaient un à un, une fois par mois, pour un toilettage qui obéissait à un rituel immuable, sous l'œil facétieux du préposé à l'essuyage, en l'occurrence Papy, pour qui la bibine avait le même goût, qu'elle soit servie dans un verre à pied ciselé ou dans une timbale en aluminium. Peu importe le contenant, pourvu qu'il y ait l'ivresse au bout, disait-il pour enquiquiner Bobe qui n'hésitait pas à lui donner du soûlard. Et gare à lui s'il en ébréchait un ! Le gâteau d'anniversaire avait été préparé par Judith, qui se piquait d'être un « cordon-bleu » en matière de desserts, français bien sûr, les meilleurs de la haute gastronomie internationale, soutenait-elle, alors que, à part Łódź, elle n'avait jamais mis les pieds hors de Berlin. Sauf une fois à Potsdam, pour visiter le palais de Sans-Souci, où le roi Frédéric II de Prusse avait reçu dans « la plus belle langue du monde » Voltaire *himself*.

Le repas s'était déroulé dans une ambiance festive, au milieu des rires et des éclats de voix, et même de quelques chansons une fois que tout ce beau monde avait eu deux ou trois verres derrière le col. À un moment, Ruth, d'ordinaire peu bavarde, un trait de caractère hérité de Papy, fit remarquer qu'on était en l'an 5699 du calendrier hébraïque. Comme ça, au détour d'une phrase. La remarque de sa tante avait frappé Ruben, habitué au calendrier grégorien. D'abord, celle-ci n'était pas une grenouille de synagogue qui se cachait les cheveux sous une *sheitel*, portait les manches de ses vêtements en dessous du coude, la jupe au bas des chevilles, refusait le baiser sur les joues d'un homme autre que son mari et mêlait Iahvé (béni soit son nom) à toutes les sauces, l'évoquant à la moindre contrariété, parce qu'elle s'était levée du mauvais pied ou souffrait de règles doulou- reuses. Loin de là ! La cadette de Judith avait perdu son mari très jeune, victime de la tuberculose, et, par fidélité à sa mémoire, n'avait plus voulu se remarier. C'est du moins ce qu'elle avait laissé entendre à la famille. Or les propositions pour mettre fin à son veuvage ne manquaient pas, venues des meilleurs partis de la com- munauté, des hommes prêts à toutes les excentricités pour enjoyer cette veuve dont la beauté scandaleuse prenait un malin plaisir à défier l'outrage des ans. Plus le temps passait, plus ses boucles de feu, qu'elle portait toujours dénouées sur ses épaules, sa hanche et sa poi- trine généreuses, faisaient tourner les têtes des mâles sur son passage, les célibataires comme les dûment mariés, du même mouvement ébahi du regard, la bouche bée, et rager de jalousie les femmes, qui voyaient dans sa viduité prolongée une menace pour leur couple. Ce n'est pas normal que la femme soit seule, ne cessait de répéter une Judith sentencieuse, dans la crainte que sa cadette ne cède, à force de sollicitations, la chair est faible, et devienne celle par qui le scandale arrive en allant briser un ménage de la communauté, jetant ainsi l'opprobre sur la famille pour plusieurs générations. Joshua lui-même, qui avait gagné toutes les batailles où son audace l'avait entraîné, s'était démené comme trois beaux diables pour essayer de la caser. En vain. En désespoir de cause, il avait recouru à l'entregent d'un rabbin marieur, mais l'un et l'autre s'étaient heurtés au même refus déterminé, sans explication autre que la fidélité à la mémoire du défunt mari. Quoi qu'il en soit, l'idée de la fin d'un siècle et du commencement d'un nouveau avait interpellé Ruben. Comme si l'année et le siècle à venir s'apprêtaient à annoncer un changement majeur dans leur vie, ou dans le monde.

La coupe de champagne Roi David avalée, Néhémiah était déjà debout, son manteau sur le dos, paré à partir, après avoir réitéré ses vœux de joyeux anniversaire à sa belle-sœur à qui il avait offert un beau collier en or : « Ce n'est pas tous les jours qu'on a quarante ans », avait-il dit en le lui passant autour du cou, sous les yeux attendris des sept autres membres de la tribu. Ruben proposa de l'accompagner, et de s'accorder une petite promenade digestive par la même occasion, l'atelier se trouvait à une douzaine de minutes à pied du domicile familial. Ce serait déjà ça, pour faire passer un peu des portions copieuses de Bobe, qui le voyait toujours trop efflanqué et le forçait à manger au-delà de la limite. « Du gavage pur et simple », observait à chaque fois tante Ruth. « Faut te remplumer, disait Bobe, s'adressant à son petit-fils sans prêter attention aux propos de sa cadette. Tu as besoin d'énergie pour étudier toutes ces choses compliquées. » Ruben n'avait jamais su lui dire non. De l'atelier, il prendrait le tramway pour se rendre aux urgences de l'hôpital – il était en internat de médecine générale depuis l'année précédente –, où son tour de garde commençait dans une heure.

Le Dr Schwarzberg se souvint que la rue lui parut plus déserte qu'à l'accoutumée. Blanche, comme on dit en Haïti. Leurs pas résonnaient d'un son humide au milieu du silence, que ni l'un ni l'autre ne cherchèrent à meubler. Il mit cela sur le compte de l'automne et du froid prématuré. L'automne, les rues sombres et mouillées peuvent regorger de mélancolie et de solitude. Ils marchèrent encore quelques minutes avant d'arriver sur place. Et là, après avoir franchi le portail de l'immeuble et progressé jusqu'à la cour intérieur, la gifle ! Qui les trouva médusés tous les deux, les yeux écarquillés de stupeur. Le rideau métallique avait été souillé de graffiti. Une main précise, haineuse, y avait tracé une étoile de David surmontée de l'expression *Judenfrei*. « Ne restons pas là », finit par dire Néhémiah qui avait compris ce qui se passait. Depuis les lois raciales de Nuremberg, les persécutions, les actes criminels et discriminatoires avaient envahi le quotidien. Il ne l'avait pas dit à son fils de peur de l'inquiéter inutilement, mais, le matin, il venait au travail l'estomac noué, en craignant des annulations de commandes de dernière minute ou d'être obligé de fermer boutique. À la rentrée scolaire, Salomé avait perdu son poste d'institutrice. Ruben suggéra à son père d'aller déposer plainte au commissariat, au cas où les auteurs du méfait auraient envisagé de revenir.

Les deux hommes n'avaient pas fini de sortir qu'ils entendirent un charivari de voix venir à leur rencontre, portées par le silence et le vent frisquet de l'automne. Une fumée épaisse s'élevait de différents points du quartier, comme si un incendie s'était déclaré dans plusieurs immeubles à la fois. Vue de loin, la synagogue de Fasanenstrasse semblait en flammes. Ils pressèrent d'instinct le pas. Au fur et à mesure qu'ils avançaient, ce n'était que désolation sous leurs yeux : des magasins saccagés le long du Ku'damm et dans les rues transversales, des scènes de pillage, des hordes de casseurs en furie, certains, portant des chemises brunes, paraissaient s'en prendre aux seuls négoces qui arboraient des signes distinctifs propres à la communauté. À l'aller pourtant, ils n'avaient senti aucune tension dans l'air. On eût dit que cette engeance avait surgi de nulle part, vomie par les entrailles de la nuit. Les rares passants hésitaient à courir, mais n'avançaient pas moins à grandes foulées.

Ils virent cinq individus se jeter avec violence sur un commerçant, dont ils venaient de briser les vitrines de la boutique avant d'y mettre le feu, sous le regard goguenard de deux agents de police. À quelques mètres de distance, Ruben et son père assistaient à la scène. Incapables de réagir. Tétanisés, impuissants.

C'est à ce moment-là qu'ils furent pris en chasse par la bande de voyous, dont l'attention fut attirée par la kippa de Néhémiah. Les types se lancèrent dans leur direction en braillant des insultes, le visage défiguré de haine. L'un d'eux brandissait une énorme matraque. La course-poursuite dura deux à trois bonnes minutes. Peut-être plus, peut-être moins. Une éternité, à y repenser. Le Dr Schwarzberg se rappela que son père fut très vite à bout de souffle. Il avançait avec d'autant plus de difficulté qu'il s'évertuait à maintenir d'une main la kippa sur sa tête. Ruben le saisit par le bras libre et essaya de l'entraîner avec lui, en hurlant : « Balance cette foutue kippa ! Balance cette foutue kippa ! » Mais sa voix se perdit parmi les cris de leurs poursuivants, qui se rapprochaient de plus en plus. Ils sentaient maintenant les souffles avinés sur leurs talons. Ils étaient à deux doigts d'être rattrapés quand une automobile pila net à leur hauteur, la portière arrière déjà ouverte, et une voix péremptoire leur dit : « Montez. »
Le père et le fils s'engouffrèrent sans y penser deux fois, tandis que la voiture redémarrait sur les chapeaux de roue, poursuivie par une bordée de grossièretés et de vociférations rauques. À l'autre extrémité de la banquette, recroquevillé sur lui-même, un type en tenue orthodoxe, une toque en forêt noire sur la tête, la chantilly siphonnée et les cerises confites en moins, visiblement sous le choc, se balançait d'avant en arrière en

psalmodiant des prières à voix basse. À l'avant, deux autres hommes : le chauffeur au teint basané et le passager en costume trois pièces et imper en tweed, plus clair de peau, les cheveux gominés brossés vers l'arrière. Ils se présentèrent comme appartenant à la légation d'Haïti. Ils sortaient du bureau, à Uhlandstrasse, où ils avaient travaillé assez tard – une fois n'est pas coutume, n'est-ce pas ? –, quand ils s'étaient retrouvés au milieu de la tourmente. Ils n'avaient pas mis longtemps à comprendre. Ça leur pendait au nez, n'est-ce pas ? Ponctuant son discours de « n'est-ce pas ? », l'homme en costard-cravate emplissait l'habitacle de ses mots, qui venaient se mêler à la messe basse du loubavitch, tandis que le chauffeur fonçait à toute allure dans les rues désertes de Berlin, les fanions placés sur le capot avant de la voiture flottant dans le vent. Ils avaient déjà ramené une famille entière chez elle, laissé à la légation deux autres qui habitaient à l'autre bout de la ville. Il fallait faire quelque chose, n'est-ce pas ? Pragmatique, le chauffeur coupa court : et eux, où pouvaient-ils les déposer ?

La voiture fit un long détour par une rue parallèle au Ku'damm pour éviter les casseurs, et les amener pile à l'entrée de leur immeuble. Avant de descendre, Ruben eut le réflexe de remercier les deux hommes de leur mansuétude. Tant qu'il vivrait, promit-il, il n'oublierait pas. Dans l'intervalle, s'ils avaient besoin d'un médecin, ils pouvaient compter sur lui. De son côté, le diplomate à cravate leur laissa ses coordonnées et celles de la légation pour toute éventualité, il leur conseilla de ne pas ressortir cette nuit, les rues étaient loin d'être sûres pour des gens comme eux. Après s'être assuré qu'ils avaient bien franchi le portail, le chauffeur redémarra en trombe. Voilà comment, pour la deuxième fois en vingt-cinq ans, Haïti avait croisé le chemin du Dr Schwarzberg, à un moment où il avait presque effacé le bout d'île caraïbe de sa mémoire. Quelle ne serait pas sa surprise, bien des années plus tard, de lire sous la plume d'un jeune poète haïtien du nom de Joubert Satyre un poème intitulé *Kristallnacht*, dont il avait même retenu quelques vers :

> *jusqu'aux marches du feu*
> *le zohar pleure ses lettres*
> *est-ce douleur du talion*
> *est-ce fureur du veau d'or*
>
> *kristallnacht*
> *es-tu toi qui n'es pas*

4

Le mariage

L'épisode de cette nuit, un piètre aperçu des événements à venir que Ruben et son père s'étaient empressés de rapporter aux autres, précipita les choses pour les Schwarzberg, à commencer par le mariage de Salomé. Son fiancé, Jürgen, était un jeune chimiste bien sous tous rapports, avec toutefois, aux yeux de Judith, un défaut de taille : seul son père pouvait revendiquer une ascendance juive. Goy donc, car en la matière, et le Talmud est clair là-dessus, il n'y a pas de demi ni de trois quarts. Sauf, rétorqua un oncle Joe sarcastique, pour la « loi sur la protection du sang et de l'honneur allemands » en vigueur depuis trois ans, qui rangeait dans la même sous-catégorie d'être humain tout *« mischling »* ayant contracté mariage avec une Juive. Judith n'en démordait pas : pour elle, il n'y avait de loi que ce qui était écrit dans la Torah, elle n'était pas prête à déroger aux coutumes et à renoncer aux épousailles à la synagogue de Fasanenstrasse, avec installation en plein air de la *houppa*, le dais nuptial traditionnel. À moins pour ce Jürgen de se convertir en bonne et due forme, une procédure qui requérait beaucoup de temps (faire partie du peuple élu, ça se mérite), aucun rabbin digne de ce nom n'accepterait de les unir. Salomé, elle, se fichait du falbala religieux comme de ses premières dents, et se disait prête à renoncer au mariage si elle ne pouvait l'envisager à sa façon.

Le jour où la question avait débarqué à table, au cours d'un dîner, en passant, alors que rien n'était vraiment arrêté entre les principaux intéressés, Judith piqua une crise qui prit des proportions dantesques en apprenant le statut de demi-goy de Jürgen. Surtout qu'il lui était venu à l'esprit que sa fille avait envisagé cette hérésie rien que pour la voir se faire du sang noir, car c'est pour ça, pas vrai ?, pour la torturer et enlever toute paix à ses jours jusqu'à la fin de son existence. Elle parla de déshériter son aînée, de la renier, d'appeler l'anathème sur elle et sa descendance jusqu'à la septième génération, et encore, elle était clémente, car elle aurait pu les maudire à jamais comme Noé l'avait fait pour les descendants de Cham, depuis Canaan et pour les siècles des siècles ; elle s'arracha les cheveux, piaffa comme une fillette dont on aurait cassé la poupée préférée et laissant de marbre une Salomé habituée, depuis sa tendre enfance, à ces envolées de tragédienne, qui finissaient par des pleurs, des lamentations, et des scènes de repentance, au bout desquelles sa mère promettait tout et son contraire, surtout de ne plus recommencer, avant de remettre le plat à la première occasion.

Ce jour-là, oncle Joe avait suggéré une méthode efficace pour rendre Jürgen moins gentil : « Lui appliquer des coups de Torah sur le crâne jusqu'à ce qu'il soit estampillé cent pour cent casher. » Sa blague n'avait pas fait rire la frangine. Ce fut finalement Ruben, d'ordinaire peu loquace, à cause à la fois de ses difficultés d'élocution et de son esprit scientifique, qui ne le portait à prendre la parole que lorsqu'il avait quelque chose de précis à dire, qui mit fin aux chicanes. Pour lui, Salomé était en âge de prendre époux depuis fort longtemps, pour une fois qu'elle avait trouvé chaussure à son pied, il ne permettrait à personne de lui mettre des bâtons dans les roues, vous entendez ? à personne, fit-il bégayant de colère... Mais ne mettons pas la charrue devant les bœufs.

Cette nuit qui fut celle de bien des horreurs, la tribu Schwarzberg eut du mal à trouver le sommeil, malgré le réflexe grégaire de se regrouper au premier étage, comme si, en meute, ils auraient été plus à même de se protéger face à une menace extérieure. Chacun, cette nuit-là, s'efforça de donner le change, dans la tentative vaine de rassurer les autres. Qui masquant, plutôt mal que bien, sa propre inquiétude ; qui déterrant des anecdotes de leurs premiers pas confus dans la langue teutonne, voire du passé perdu de Łódź, dans l'unique but d'alléger l'atmosphère. Incapable de rester sans rien faire, Néhémiah essaya d'engager la conversation avec son fils et sa belle-sœur, mais les mots ne venaient pas ou passaient mal, avant d'aller triturer le poste TSF, désespérément muet à propos des événements.

Au plus fort de la veille et de la fatigue, Judith fut la première à rejoindre la chambre conjugale pour continuer la prière commencée à voix basse dans le salon : « Ne t'éloigne pas de moi car l'angoisse est proche, et nul n'est là pour m'aider ! [...] ô Seigneur, ne t'éloigne pas ; toi qui es ma force, viens vite à mon secours ! » C'est cette nuit-là que Ruben avait surpris sa mère devant une photo du petit caporal, récupérée dans le journal, récitant la prière kabbalistique *Pulsa diNura* afin de l'envoyer rejoindre son comparse Satan. La prière, dite par une seule personne, une femme qui, pis est, mettrait sept longues années à être exaucée ; sept années qui verraient l'ange destructeur autrichien amplifier son office de mort. Mais les voies du Très-Haut, c'est connu, sont impénétrables ; de cet épisode, le Dr Schwarzberg ne parlerait à aucun membre du clan.

Salomé et tante Ruth, qui avait choisi de partager le lit de sa nièce, ne tardèrent pas à partir se coucher. Les grands-parents avaient récupéré la chambre de Ruben, tandis qu'oncle Joe, rentré l'après-midi même de Hambourg, ne cessait de se retourner sur le canapé où il avait trouvé refuge, en quête de la position idéale pour faire taire ses cogitations qu'on entendait à trois mètres de distance. Installé dans le fauteuil près de la cheminée, les jambes allongées sur un tabouret, Ruben gardait les yeux fermés ; il lui fallait engranger de l'énergie, la nuit s'annonçait longue. De son affectation au service d'urgence, il avait appris à ménager son esprit et son corps dans des situations tendues. Quelques minutes de sieste par-ci, un quart d'heure de pause par-là, et il était d'attaque, paré à affronter douze, parfois quatorze heures de travail d'affilée.

Le jour n'avait pas fini de poindre que toute la famille, les traits chiffonnés, était à nouveau rassemblée dans le salon. Personne n'avait le cœur à avaler le café et le petit déjeuner, que Bobe avait préparés au réveil, moins encore à évoquer les incidents de la nuit précédente. Au fond d'eux-mêmes pourtant, ils savaient qu'ils allaient devoir en parler... On entendit alors frapper à la porte d'entrée. Ils marquèrent un temps d'arrêt, s'interrogèrent du regard, avant que Ruben ne se décide à aller ouvrir et à s'écarter pour laisser passer le couple du quatrième étage, qui avança au milieu du salon, embarrassé comme une femme adultère à confesse. M. Ehrlich, c'était le nom du locataire, Rudolf de son prénom, s'excusa de se présenter à une heure aussi matinale chez eux, mais ils avaient de bonnes raisons de le faire, il s'était passé des choses graves à Berlin la nuit dernière. À leur place, il ne s'aventurerait pas au-dehors aujourd'hui. Il leur proposa de sortir lui-même prendre la température du quartier et, si M. Schwarzberg père voulait bien lui indiquer l'adresse de son atelier, il irait voir ce qu'il en était, il reviendrait leur raconter. S'ils avaient besoin de faire une course urgente, ils pouvaient demander à Gertrude, qui acquiesça à la proposition de son mari : *« Ja, ja, kein Problem. »* Puis ils repartirent comme ils étaient venus, aussi empruntés qu'à l'arrivée.

Au bout d'une interminable heure, M. Ehrlich était enfin de retour, effaré, le visage blême, incapable de trouver les mots pour dire l'ampleur visible des dégâts. Son récit, haché, regorgeait de colère et de honte mêlées. Vu de l'extérieur, le magasin de M. Schwarzberg n'avait pas été touché, le rideau métallique était baissé, sans autre dommage apparent que les graffiti de la veille. Devant le silence de ses propriétaires, il avait ajouté : « Je suis désolé. » Une antienne qu'il ne cesserait de reprendre : « Je suis désolé, je suis désolé », comme s'il se sentait responsable des actes commis par ses compatriotes. Il semblait avoir vieilli d'un coup. À tout juste quarante ans, on lui en aurait donné soixante, avec ces cheveux gris que personne ne lui avait remarqués auparavant, le teint blafard et le dos voûté de qui aurait porté sur les épaules tous les péchés d'Israël et de l'Allemagne réunis.

« Vous pouvez compter sur Gertrude et moi. On ne laissera pas ces gens assécher la dernière goutte d'humanité en nous », trouva-t-il toutefois la force de conclure avant de se retirer.

Après le départ de M. Ehrlich, la journée s'étira dans une attente insupportable. Jamais l'ambiance n'avait été aussi pesante entre les membres de la famille, habitués à se chamailler à la moindre occasion, parfois même pour le plaisir de se sentir vivants et de se réconcilier par la suite. Jamais non plus le temps passé ensemble ne leur avait paru aussi long. De la fenêtre du salon, on voyait des colonnes de fumée monter de plusieurs bâtiments en flammes. Au téléphone, les contacts d'oncle Joe confirmèrent les propos de M. Ehrlich : Hambourg, Brême, Düsseldorf, Munich, Bonn…, des villes grandes et petites avaient brûlé toute la nuit et toute la matinée d'une haine sans pareille. Aux alentours de quinze heures, les uns et les autres essayèrent de grignoter, chacun dans son coin, un peu du *tcholent* que Bobe avait rapporté du rez-de-chaussée. Mais l'envie n'y était pas. Même Ruben, habitué à se jeter sur la spécialité de sa grand-mère, son plat préféré, avec l'appétit d'un évadé de bagne, ne termina pas son assiette.

La radio, dans l'intervalle, continuait de taire les événements. À bout de nerfs, Salomé finit par l'éteindre avant de glisser un disque de Mahler dans le gramophone. Aux premières notes de la *Symphonie n° 6*, sa mère, que la conversion au catholicisme du compositeur indisposait encore, ne put s'empêcher de lâcher : « De toute façon, la bourrique aura beau porter costard et cravate, elle ne pourra jamais s'empêcher de braire. » La remarque fut de trop pour Salomé, qui se retira dans sa chambre en faisant trembler les murs de l'appartement tandis que la musique de Mahler résonnait, à la fois légère et poignante, dans le silence du salon.

Il devait être autour de vingt heures quand la radio, de nouveau allumée, cracha trois « *Achtung !* » en prélude à la lecture d'un bulletin d'information officiel. Les

Schwarzberg s'étaient arrêtés comme un seul homme, retenant leur souffle, le regard tourné vers le poste TSF, dans l'attente d'une parole autorisée qui viendrait annoncer l'arrestation et la poursuite en justice des fauteurs de troubles, les rassurer d'une certaine façon. Berlin aussi avait mis en veilleuse ses rumeurs. Plus aucun bruit ne venait de l'extérieur. Ni du Ku'damm au fond sonore régulier, ni de leur rue, ni de la cour de l'immeuble voisin, d'où montait parfois le pépiement d'enfants qui tardaient à se mettre au lit. La ville entière semblait avoir suspendu ses activités pour écouter le communiqué. Loin de condamner les exactions, la dépêche y voyait des émeutes spontanées en représailles, selon le pouvoir, au tapage nocturne et aux provocations d'une catégorie bien spécifique de la population.

Les Schwarzberg étaient agglutinés autour du poste de radio, Salomé, l'humeur moins massacrante, avait la tête sur la poitrine de sa mère, qui la couvrait de baisers inquiets. À la fin du communiqué, les membres de la famille s'étaient retrouvés serrés les uns contre les autres, ils n'eurent point besoin de se parler pour arriver à la même conclusion, la communion charnelle avait tenu lieu de langage entre eux. L'interprétation des événements par les autorités avait achevé de les convaincre : l'heure était venue d'aller ancrer leur errance ailleurs. Comme des dizaines de milliers d'autres Allemands et étrangers, ou présumés tels, qui s'étaient déjà jetés sur le chemin de l'exil quand eux, pendant les cinq dernières années, avaient fermé les yeux et les oreilles, ajusté leurs voiles à défaut de contrôler le vent, en pensant pouvoir tenir le coup et passer le cap sans trop de casse. Toute la question maintenant était de savoir : vers quelle oasis aller planter leur *soukka* ? Là aussi, inutile de se consulter pour convenir d'une chose : le retour à Łódź, qu'ils auraient vécu comme un échec, ne faisait pas partie des solutions éventuelles.

C'est le moment que choisit Salomé pour annoncer son mariage prochain, pour de vrai cette fois, avec son demi-goy, une confidence qu'elle avait partagée dès le début avec son cadet. Les amoureux avaient arrêté la décision deux semaines plus tôt, après que Jürgen avait reçu de la Columbia University la confirmation d'une offre d'enseignant-chercheur, assortie d'une chaire d'allemand pour son épouse, voire de polonais, au cas où celle-ci accepterait de dépoussiérer ses connaissances en la matière. La fameuse université mettait aussi à leur disposition un appartement de fonction, situé dans le nord de Manhattan, à une dizaine de minutes de marche de leurs bureaux respectifs. Jürgen avait mené seul les négociations, fit Salomé, dans un mélange de fierté et de tristesse, car, à l'instant où elle prononçait les mots, elle avait l'impression désagréable d'abandonner les siens dans la période la plus sombre de leur histoire, de tracer sans eux son chemin vers la lumière. L'ayant compris, Judith s'était approchée de Salomé et l'avait attirée à elle pour une belle étreinte que sa fille lui rendit avec la même force, sous les yeux émus de la tribu.

« *Mazel Tov*, ma fille. *Mazel Tov*, répéta-t-elle entre deux sanglots.

– Voilà la question du départ réglée pour au moins un membre de la famille », fit Ruben pour couper court au trop-plein d'émotion, avant de retirer du frigo la bouteille de champagne Roi David qu'il y avait glissée en toute discrétion voilà une semaine déjà. Tante Ruth rapporta les coupes en cristal de Bohême de l'immense dressoir en bois massif du rez-de-chaussée. Oncle Joe les remplit à ras bord, précis, sans verser une seule goutte sur la table.

« Faisons du mariage une belle fête, dit-il, rien que pour emmerder le petit caporal.

– *Lehaïm !* firent en chœur les huit membres de la tribu », tandis que Papy, après y avoir trempé les lèvres et déposé son verre, entreprit de taper dans ses mains, donnant le ton :

Hevenu Shalom Aleichem
Hevenu Shalom Aleichem

Tous reprirent la chanson de bon cœur, comme s'il ne s'était rien passé la nuit précédente, qu'ils n'avaient pas entendu le communiqué officiel quelques minutes plus tôt à la radio ; qu'aucun rêve mauvais ne menaçait, tapi derrière la porte, que la vie serait toujours plus forte que la peur. Voilà comment, l'espace d'un court refrain, l'annonce du futur mariage de Salomé apporta la joie aux Schwarzberg, tandis que Berlin s'apprêtait à vivre une nouvelle nuit longue d'angoisse pour certains, d'indifférence pour d'autres.

Le jour venu, la cérémonie fut célébrée à la mairie, avec Ruben dans le costume de témoin de sa petite mère, en dépit des menaces de Judith de ne pas participer à ce simulacre d'union, quand la famille pouvait prétendre à mieux, puisqu'elle avait réussi, compte tenu des temps difficiles, à arracher l'assentiment d'un rabbin compréhensif pour un *giyur* express – elle avait la parole de son beau-fils, un jeune homme honnête, monsieur le rabbin –, qui ouvrait droit au mariage à la synagogue. Dans l'appartement des grands-parents, où eut lieu la réception, il n'y eut pour invités que les Ehrlich et la famille proche des deux époux. Judith dut avaler aussi cette énorme couleuvre, elle qui aurait souhaité convier la communauté entière, hormis les mécréants, avant le refus de Salomé, resplendissante dans son tailleur bleu océan – elle avait bien sûr refusé la robe blanche de mariée –, de tourner sept fois autour du fauteuil en guise de houppa et de son désormais mari, coutume qu'elle associait à une manière de soumission de la femme. En revanche, le brave Jürgen vint à son secours pour le bris du verre, rituel auquel il se prêta volontiers sous une avalanche de *Mazel Tov*, que répétèrent les Ehrlich sans en saisir la signification et qu'ils durent prendre pour des mœurs polonaises.

Les convives eurent tout de même droit à la *seouda*, le repas de noces que Bobe avait passé trois jours à mitonner dans les règles de l'art. Pour l'occasion, elle avait concocté des mets plus exquis les uns que les autres à partir du peu d'ingrédients trouvés sur le marché, et de ceux que Joshua avait dégotés on ne sait où, recouvert la table de carpes et cous d'oie farcis, *pickelfleisch*, caviar d'aubergine, foies hachés, boulettes de poisson, *kneidler*… Des plats arrosés à souhait de champagne Roi David et de vins strictement casher pour faire plaisir à Judith et au palais des invités, celui des Ehrlich en particulier, dont la culture gastronomique s'arrêtait au knipp, un plat de porridge à base de céréales et de viande de porc, au hareng frais, au chou au boudin ou encore à la saucisse farcie à l'avoine. Bobe y mit d'autant plus de cœur qu'elle ignorait si elle aurait l'occasion de remettre le plat pour Joshua et Ruben. Surtout Joshua, dont on se demande ce qu'il attend, glissa-t-elle dans un mélange de malice et de mélancolie.

Au-delà du buffet, abondant et varié, et sans perdre pour autant de sa convivialité, la fête fut sobre ; même les enfants Ehrlich, chose assez rare pour être soulignée, brillèrent par leur discrétion. Au cours de l'unique tour de danse, Salomé virevolta successivement au bras de son mari et des hommes de la famille. Le repas, long, se déroula sur fond de jazz, auquel Jürgen, amateur éclairé, avait initié son beau-frère, et de discussions jusqu'à la tombée de la nuit sans que furent évoquées, d'un accord tacite, les rumeurs qui bruissaient dans Berlin, emplissant des dizaines de milliers de foyers d'échos d'angoisse. Assis l'un à côté de l'autre, Ruben et Salomé aux anges rirent de bon cœur, baissant de temps à autre la voix dans un dialogue complice qui les ramenait à l'enfance et, sans le vouloir, excluait les autres. Personne ne s'en formalisa ; à part les Ehrlich, tous savaient les liens forts qui unissaient le frère et la sœur. Ils parleraient jusqu'au bonsoir du dernier convive, Jürgen excepté, qui avait emménagé avec Salomé dans l'appartement du troisième étage, en attendant leur départ proche, tandis qu'oncle Joe était descendu cohabiter avec tante Ruth.

5

Exode 2

La joie flottait encore dans l'air et la nuit était déjà bien entamée lorsque tante Ruth prit la parole, une parole qui mit cinq bonnes minutes à faire sens, tant elle paraissait étrange, avant de laisser la tribu, élargie de la présence de Jürgen, pétrifiée de stupeur. Ruben avait du mal à reconnaître la femme aux mots si rares ; sa tendance à l'économie de la parole, dont il avait en partie hérité et où son interlocuteur avait la sensation qu'elle peinait à dire l'essentiel, s'était même accentuée au fil du temps. Il découvrit cette nuit-là une pasionaria d'une grande éloquence, « une Aaron en jupons », dirait-il plus tard pas peu fier, qui avait su, pendant toutes ces années, leur cacher la flamme dont elle brûlait de l'intérieur. Tante Ruth déroula un monologue abondant, précis, sans aspérité aucune, d'où il résulta que le départ de Pologne lui avait laissé l'impression de tout abandonner derrière elle : son enfance, sa langue, le paysage et les odeurs de Łódź, son défunt mari dont plus jamais elle ne pourrait accompagner la mémoire en allant déposer un caillou sur sa tombe… Un acte de lâcheté à ses yeux, au lieu de rester sur place et de se battre pour ses droits d'être humain, de citoyenne à part entière de ce foutu pays. Mais elle avait préféré fuir avec eux. Elle ne le regrettait pas, si c'était à

63

refaire, elle le referait sans hésitation. Ils étaient tout ce qu'il lui restait de ce qu'elle avait perdu. Jusqu'à quand, toutefois, devraient-ils passer leur vie à courir devant leur passé ? En quittant Łódź, elle s'était juré de ne plus jamais s'enfuir, ou alors ce serait pour aller planter sa vie, et celle de tous les siens, quelque part où ils n'auraient plus à fuir, ni devant leurs cauchemars, ni devant des bourreaux, où ils seraient une fois pour toutes à la maison, « *Ba beit* », comme on dit en hébreu, langue qu'elle avait apprise en cachette de la famille…

« Il n'y a pas de malédiction qui tienne. Tout dépend de la volonté de l'homme, je veux dire de l'homme et de la femme. Tout dépend de nous, et de nous seuls. »

Tante Ruth s'arrêta un instant, avala sa salive avec difficulté, ce qui n'échappa point à un Ruben suspendu, comme les autres, à ses lèvres et qui s'empressa de lui apporter un verre d'eau, dont elle but la moitié avant de continuer. Dès l'arrivée à Berlin, elle avait pris contact avec un mouvement qui militait activement pour la montée en Palestine, afin d'y fonder un État. Elle n'ignorait pas les difficultés de l'entreprise, elles étaient même de taille, mais elle y croyait, et tant d'autres avec elle. Peut-être pas comme Judith, plaisanta-t-elle. Elle n'y mêlait aucun mysticisme, ni la précipitation de la venue d'aucun messie. À eux qui étaient sa famille, elle tenait à le préciser : ce combat, elle et son groupe ne le menaient contre personne, mais pour eux-mêmes, pour leur peuple. Sa seule crainte à ce propos concernait la cohabitation, une fois l'État créé, avec leurs voisins. Eux aussi avaient droit à une terre leur. Plaise au ciel, auquel elle ne croyait pas, ce n'était un secret pour personne, même pas pour sa sœur, que cela se passe en bonne intelligence, que chacun accepte de faire une place à l'autre, comme un couple dans un lit. Que l'un ne cherche pas à s'y étaler, à tirer la couverture à soi au détriment de l'autre, ce serait leur plus gros échec. Cet État, elle en rêvait comme d'une maison où tous auraient les mêmes droits de s'asseoir à la table commune, de s'y restaurer à satiété, sans s'excuser de leur présence, où il n'y aurait ni maître ni serviteur.

Pendant que tante Ruth parlait, les autres membres de la famille, hormis Jürgen qui la connaissait peu, se regardaient, incrédules. Bien des bizarreries dans son attitude ces derniers temps : ses absences répétées et injustifiées, le fait de n'avoir jamais invité un homme à la maison, ces coups de fil lapidaires où elle tendait à répondre par monosyllabes… trouvaient une explication. Préoccupé par son veuvage au long cours, le clan aimait à imaginer derrière ces cachotteries une histoire licencieuse, des secrets d'alcôve, peut-être une relation clandestine avec un homme marié ; « ce serait déjà ça », s'était même laissée aller à envisager sa pourtant si bigote aînée au fur et à mesure que les années s'accumulaient ; ou bien une liaison naissante, fragile, que la pulpeuse rousse à la chevelure de braise préférait taire aux autres tant que celle-ci n'aurait pas pris chair. Au sein du mouvement où, avec le temps, elle était parvenue à jouer un rôle de premier plan, ils avaient jugé bon de ne pas l'exposer, elle et d'autres cadres de sa trempe. On y appréciait tout à la fois sa détermination, sa discrétion, sa capacité à se glisser, malgré son physique généreux, dans la peau d'une femme quelconque, son esprit de synthèse, le tout porté par une grande sensibilité et une culture de la même envergure. D'où ces sorties secrètes, qui intriguaient tant la famille.

En un mot comme en cent, résuma tante Ruth, le moment était venu de monter en Palestine créer l'État auquel leur peuple avait droit… et pour la famille de se séparer. Les événements des dernières semaines avaient acté de fait pour le clan le deuil de Berlin ; le cas de Salomé et de Jürgen étant résolu, il restait à trouver un point de chute pour les autres. Aussi voulait-elle connaître leur opinion, même si elle avait déjà la sienne sur la question. Admirative devant le courage de sa cadette, Judith se voyait déjà en Palestine, prier au mur des Lamentations, « ce genre d'occasion ne se présente pas deux fois dans une vie ». Elle avait raté l'installation à Paris, il n'était pas question de passer aussi à côté de « ce signe du ciel », si ça se trouve, le messie viendrait pendant qu'ils seraient à Jérusalem. Avant même l'intervention de sa tante, Ruben fut le plus prompt à venir freiner les ardeurs maternelles, ce serait irréfléchi, fit-il, vu leur âge, d'entraîner les grands-parents dans une aventure aussi risquée. On verrait plus tard, une fois jetées les bases de l'État d'Israël. En attendant, il fallait regarder ailleurs.

L'idée de refaire ses valises, de tout recommencer quelque part d'autre une nouvelle fois, était loin d'emballer Néhémiah. Il ronchonna un instant, par principe ou par habitude, cela revenait au même, car il savait ne pas avoir le choix, avant de capituler devant les arguments en béton d'oncle Joe qui avait abondé dans le sens de Ruth et de son neveu, non sans avoir glissé au passage, histoire de rassurer le bonhomme :

« Ne t'inquiète pas, beau-frère, je ne te lâcherai pas. Tu sais bien que tout ce que je touche se transforme en or. D'ailleurs, j'aurais dû m'appeler Goldman, au lieu de Livni.

– Quitte à partir, pourquoi ne pas s'en aller au soleil ? » osa alors Néhémiah, en repensant à la proposition des diplomates de la légation d'Haïti, la nuit où ils les avaient arrachés aux griffes de ces sans foi ni loi. Cela lui avait traversé l'esprit sur le moment et, ma foi, ce n'était pas une hypothèse idiote, mais qui ne rencontra pas l'assentiment de son épouse, elle la jugea aberrante : qu'est-ce qu'ils iraient foutre dans ce pays où on parlait un français au rabais, alors que Paris était juste à côté et, à sa connaissance, sans une seule synagogue ?

Papy et Bobe se tenaient en retrait de la discussion, attisant à tour de rôle le feu de la cheminée, comme s'ils avaient déjà transmis le flambeau et qu'il revenait à la génération suivante de décider du destin de la famille. Eux avaient fait leur temps, tout ce qu'ils pouvaient réclamer dorénavant de la vie, c'était de s'en aller en étant auprès des leurs. Ici ou là-bas, peu importe. Pour tante Ruth en tout cas, une chose était claire : vu l'évolution de la situation, il n'était pas prudent de rester en Europe, même à Paris. Comment présumer de la réaction des Français si le petit caporal décidait d'envahir leur pays, comme il l'avait déjà fait avec l'Autriche et les Sudètes ?

« Qu'est-ce que tu recommandes alors, général ? interrogea, mi-sérieux mi-hilare, oncle Joe qui, depuis le *coming-out* politique de sa sœur, l'avait catapultée général en chef et en jupons de l'armée irréductible des Schwarzberg-Livni.

– J'ai quelques touches au consulat des États-Unis à Berlin. Vous pourriez vous mettre à l'abri là-bas, si ça ne dérange pas Salomé, et surtout Jürgen, d'avoir la belle-famille dans les pattes.

– Qu'est-ce que tu racontes là, tante Ruth ? Bien sûr qu'on est d'accord, répondit la jeune femme, sans avoir consulté son mari – comme quoi, les chiens ne font pas des chats –, trop heureuse de faire taire l'inquiétude qui la rongeait à l'idée de laisser la famille derrière elle. Dis oui, maman. Papa, dis oui. »

Pour Judith, se trouver aux États-Unis lorsque naîtraient ses petits-enfants, ça avait du sens, il fallait bien quelqu'un pour les éduquer dans les vrais principes, ces mômes, d'autant que Salomé, en plus d'être de la mauvaise graine de rebelle, serait occupée avec son travail. Tante Ruth fit remarquer, par souci d'honnêteté, que la partie n'était pas gagnée d'avance. Les États-Unis avaient instauré un système strict de quota annuel, qui faisait peu cas des dangers que les gens couraient ici ; ils voulaient s'assurer, se justifiaient-ils, que le régime nazi n'avait pas glissé des espions de l'*Abwehr*, le service de renseignements de l'armée, parmi les immigrants. Et puis, sur le plan économique, le pays peinait à se relever du krach boursier de 1929. Bref, il y avait beaucoup d'appelés, mais peu d'élus. Tante Ruth maîtrisait son sujet à la perfection. Joshua et Ruben, poursuivit-elle, se chargeraient des démarches auprès de son contact au consulat, dont elle leur passerait les coordonnées, après l'en avoir informé…

Voilà comment s'était écoulée la nuit qui suivit les noces de Salomé ; elle avait dérivé jusqu'au petit matin, jusqu'au moment où, ayant épuisé le sujet, les Schwarzberg décidèrent de regagner leurs lits respectifs. Un silence lourd montait de l'extérieur, la ville entière devait dormir, certains même du sommeil du juste. Peu de temps après, tante Ruth fit ses adieux à la tribu, en emportant une simple valise qui devait contenir, tout au plus, deux ou trois robes, des sous-vêtements de rechange, de rares photos de famille, de celles qui nous accompagnent à tout moment et qui ne risquaient pas d'éveiller les soupçons si, pour une raison ou une autre, ses bagages étaient fouillés… et un peigne pour démêler son abondante chevelure. En accord avec l'organisation de Hambourg, qui la logeait sur place, elle partit un matin pour la ville portuaire attendre le bateau qui devait emmener le groupe en Palestine mandataire. Elle ne les recontacterait pendant longtemps que par courrier postal, puis par télégramme.

Trois semaines plus tard, ce fut au tour de la petite mère et de son mari de s'en aller. Ruben fut le seul, pour éviter d'attirer l'attention, à accompagner les *Just married* par le train jusqu'à Hambourg, d'où ils devaient embarquer à destination de New York. En cours de route, Ruben en avait profité pour raconter à sa sœur l'histoire avec Silke, rencontrée sur les bancs de l'École de médecine et qu'il avait surnommée Petite Soie, à cause de l'anglais *silk*, la seule qui ait vraiment compté pour lui. Jamais avant elle, il n'avait envisagé une vie commune avec une femme. Il imaginait déjà sa mère pousser des cris d'orfraie à l'idée d'accueillir une autre goy dans la famille, pur porc pour le coup, comparée à Jürgen, mais il savait aussi qu'il pourrait compter sur le soutien inconditionnel des autres membres du clan, celui de Bobe en particulier : « Pourvu que tu sois heureux, mon lapin », lui glisserait-elle à l'oreille, pour éviter d'essuyer les foudres de son aînée. Son père accueillerait sûrement son choix avec ostentation, bénirait le ciel à haute et intelligible voix, demanderait à son benjamin de se dépêcher de lui donner des petits-enfants à chérir, rien que pour le plaisir de voir sa tendre moitié ébranlée sur ses gonds, sans réussir à en sortir, car Ruben pouvait se révéler plus buté que l'ânesse de Balaam, impossible de lui faire changer d'avis une fois qu'il s'était mis une idée en tête, et fallait surtout pas le contrarier avec insistance, comme savait le faire sa mère, sinon l'Elbe en crue n'était rien à côté de ses rares colères.

Cependant, au-delà de la réaction maternelle, Ruben ne se sentait pas non plus d'entraîner Silke dans sa décision de s'en aller de Berlin, ça aurait été lui demander de renoncer aux siens qui avaient toujours vécu dans leur village de Basse-Saxe et se plaignaient déjà de ne pas la voir assez depuis son installation dans la capitale. Comment vivraient-ils le fait de voir leur fille convoler avec un « sans-droits » ? Car en plus d'interdire les mariages mixtes en Allemagne, les lois de Nuremberg les déclaraient nuls et non avenus, même contractés à l'étranger… Salomé l'encouragea à vivre son amour jusqu'au bout, de toute façon, il devrait bien s'envoler un jour du nid familial pour construire le sien. Pourquoi pas maintenant ? Elle lui dit que ses cogitations participaient d'une peur – s'il n'avait pas été son frère, elle aurait dit d'une lâcheté – toute masculine. Pour sa part, si elle avait écouté les lubies de leur mère, elle ne serait pas là aujourd'hui, prête à embarquer avec son Jürgen pour New York, où celui-ci finirait par se convertir pour éviter à sa femme de rester, même par-delà la distance, en porte-à-faux avec sa famille.

Salomé avait promis à son cadet de ne pas pleurer, elle tint parole. Elle utilisa toutes les astuces possibles afin de ne pas céder à l'émotion qui lui étreignait la poitrine, lui donna du Dr Schwarzberg, évoqua les souvenirs cocasses de leur enfance, leurs retrouvailles futures qu'elle espérait le plus tôt possible. Elle ne craqua pas non plus au moment de serrer une dernière fois dans ses bras celui qui, en plus d'être son frère, avait aussi été son élève et son fils. Puis elle leva les yeux comme pour fixer dans sa mémoire le ciel étrangement bleu à cette époque de l'année, et s'engagea d'un pas résolu sur la passerelle qui menait dans le ventre du bateau, où son mari l'avait précédée.

Lorsque retentit la sirène du paquebot, que Salomé et Jürgen, accoudés au bastingage, agitèrent la main dans sa direction en signe d'adieu, ce fut Ruben qui ne put empêcher les larmes de rouler sur ses joues, abondantes et chaudes. Durant une poignée de secondes, il eut le sentiment que cet adieu serait sinon définitif, du moins qu'ils n'allaient pas se revoir avant très longtemps. Il serra instinctivement les poings de rage. Le temps que les dernières manœuvres s'achèvent et que le bateau se détache du port dans des borborygmes d'eau huileuse, il avait séché ses larmes. Il jeta un ultime regard au paquebot qui s'éloignait tel un pachyderme ayant fait bombance, avant de reprendre le chemin de la gare.

Dans l'intervalle, les six autres membres de la tribu avaient introduit leur demande d'asile auprès du consulat des États-Unis à Berlin. Les démarches requirent du temps, malgré la courtoisie du contact de tante Ruth. À l'arrivée, seuls les parents et les grands-parents eurent droit au précieux sésame, la demande d'oncle Joe et de Ruben, majeurs et célibataires, avait été rejetée sans explication autre que le mot « *Denied* » apposé en grands caractères en travers de leur titre de voyage. Ravagée à l'idée de devoir laisser son fils et son frère dans l'antre du diable, Judith respira à pleins poumons, avant de glorifier Elohim, quand elle sut que le refus de l'administration états-unienne n'était pas définitif et qu'ils pourraient déposer un nouveau dossier l'année suivante.

6

Printemps 1939

Cela s'était passé à l'approche de la gare de Hambourg. Ceux qui étaient revenus avaient souvent une
anecdote à ce sujet, une manière de fixateur de mémoire
pour se rappeler où, quand, comment, dans quelles circonstances, pareil à ces procédés mnémotechniques que,
enfant, on utilise afin de retenir une leçon passablement
coriace. Dans le cas de Ruben et de son oncle, cela
s'était passé à quelques encablures de la gare de Hambourg où ils s'apprêtaient à prendre l'express de 11 h 19
pour rentrer à Berlin. Peut-être que cela ne serait pas
arrivé si oncle Joe n'avait pas été contraint de vendre sa
voiture de commis-voyageur pour se mettre en conformité avec la loi, elle était assez grande pour les accueillir
tous les six et, au retour, ils auraient rejoint Berlin sans
avoir à utiliser les transports en commun. Il leur restait
une centaine de mètres à parcourir, le Dr Schwarzberg
s'en souvenait comme si c'était hier, tant les faits étaient
restés imprégnés dans sa mémoire. Avec oncle Joe, ils
marchaient comme deux gamins complices, bras dessus
bras dessous, le visage fouetté par la brise fraîche venue
de l'Elbe. Les premiers bourgeons des arbres alignés
des deux côtés des rues avaient commencé à poindre,
annonçant enfin le printemps. L'hiver fut rude et long
cette année, pas seulement à cause des événements et de

l'éclatement de la famille, qu'il devait encore digérer. Ils revenaient du port où ils avaient accompagné la moitié de la tribu en partance pour les États-Unis. Oncle Joe semblait soulagé et heureux, l'état d'esprit de qui avait le sentiment du devoir accompli.

Ruben partageait le même, d'autant que les adieux furent moins déchirants cette fois. Non qu'il ait été insensible à l'éloignement de ses parents et grands-parents, loin de là, c'était leur première vraie séparation depuis sa naissance, à part, pour lui, de courts séjours de vacances ici et là en Europe, mais, au moment de les quitter, il avait à l'esprit sa réaction trop émotive, trois mois plus tôt, au départ de sa petite mère. Et il avait mis un point d'honneur à ne pas craquer. Même pas lorsque Bobe, pourtant peu habituée à se plaindre, s'était demandé à haute voix si Iahvé lui prêterait vie assez longtemps pour revoir son docteur dont elle était si fière. Elle avait un étrange pressentiment, sans doute le mauvais rêve de la veille. Elle avait vu la famille entassée au milieu de centaines d'individus dans un train qu'un homme en uniforme gris cendre avait refermé derrière eux, avant de s'apercevoir, au signal du départ, de l'absence de Ruben. Tandis que les cris des passagers venaient se mêler au grincement métallique du train qui s'éloignait, elle avait deviné sur le quai, à travers les interstices des parois, la silhouette un peu gauche de son petit-fils dont elle aurait reconnu, même sur son lit de mort, les oreilles qu'elle faisait semblant de lui recoller avec de la salive pour calmer ses angoisses de petit mâle. Elle s'était réveillée en sursaut sans réussir à se rendormir, rongée par le doute : depuis quand les trains avaient-ils des parois en bois à la place des fenêtres vitrées ? La question l'avait tracassée jusqu'au lever du jour, mais elle n'en avait pas touché mot à Papy, pour ne pas avoir en plus à subir son sourire moqueur. Petite déjà, elle savait interpréter les rêves, les siens et ceux des autres, justifiant ainsi le choix de son prénom, Daniela, si rare pour une femme dans la Pologne de l'époque.

Après la douche, elle s'était barricadée dans sa chambre pour ne redescendre qu'au moment de s'en aller. Elle avait refusé d'avaler quoi que ce soit, elle qui se faisait fort, au quotidien, de prendre un petit déjeuner de reine, un déjeuner de princesse et un dîner d'indigente, gage, selon elle, d'une bonne santé. Mais le doute lui comprimait encore la poitrine. Elle n'avait pas lâché le bras de Ruben durant tout le trajet, sans parvenir pour autant à exorciser le démon qui la tourmentait de l'intérieur. Elle l'avait grondé pour essayer de ne pas y penser, elle lui avait reproché pour la énième fois son refus de porter la blouse en dehors de l'hôpital : « Tu n'en es pas fier ? » avait-elle demandé. Ruben ne sut pas trouver les mots pour lui expliquer qu'être médecin, c'était un métier comme un autre. « Comment ça, un métier comme un autre ? avait fait la vieille dame, choquée. – Enfin, presque », dut rectifier son petit-fils, mais sa seule fierté, le cas échéant, c'était de soulager la souffrance de ses semblables, de sauver des vies humaines, « et de te voir rire », avait-il ajouté, séducteur, arrachant un sourire lumineux à sa Bobe qui avait alors attrapé son sac à main, en avait rapporté un bonbon à la réglisse, défait le papier avant de le glisser elle-même dans la bouche de Ruben sans que celui-ci proteste. Comme lorsque, gamin, il trouvait refuge sur ses genoux, parce qu'il s'était fait un bobo, avait envie d'un goûter ou d'un câlin et qu'elle le consolait avec un de ces bonbons, elle en avait toujours un paquet à portée de main. Beaucoup d'hivers avaient passé depuis, pas un seul, en vingt-cinq ans, ne les avait éloignés l'un de l'autre. Aujourd'hui, à l'heure où elle partait vers l'inconnu, des mœurs inhabituelles et une langue nouvelle destinée, comme l'allemand, à lui échapper, la laissant inapte à saisir le monde autour d'elle, avec l'inquiétude de quelqu'un de son âge qui avait voyagé une seule fois dans sa vie, de Łódź à Berlin, Ruben s'était ingénié à la rassurer sans en avoir l'air. Ça lui faisait tout drôle de la savoir si vulnérable.

Il avait dû prendre aussi sur lui lorsque sa mère s'était mise à pleurer comme une Madeleine, en se foutant pas mal du regard oblique des autres passagers, de son maquillage qui s'en allait à vau-l'eau, lui dessinant des pattes d'araignée sur le visage, deux rangées de rhume et d'eau, sur le manteau de fourrure étrenné pour l'occasion, dans la manche duquel elle n'hésita pas à enfiler le mouchoir où elle avait séché ses gros bouillons, puis s'était mouchée à grands coups de nez. Médecin, Ruben ignorait que le corps humain pouvait se séparer d'une telle quantité d'eau tout en restant debout, même si, après que son père et oncle Joe l'eurent arrachée littéralement de ses bras, sa mère s'était retrouvée pliée en deux, se tenant le ventre de douleur, comme une femme en train d'avoir une fausse couche, suscitant les « qu'est-ce qu'elle a, la dame ? » de gosses trop curieux qui n'en finissaient pas d'embarquer, la tête tournée vers l'arrière, impressionnés par la scène.

Occupés à réconforter leurs conjointes respectives, son père et Papy n'avaient laissé paraître aucune émotion, sinon dans leur empressement à monter à bord, alors qu'il restait une grosse demi-heure avant l'appareillage. La crise de pleurs de Judith leur avait fourni le prétexte idéal pour écourter les adieux, l'un comme l'autre détestaient se donner en spectacle. Oncle Joe, lui, s'était réfugié derrière ses blagues éculées pour tenter de cacher son émoi. Il en avait usé à bouche que veux-tu pendant le trajet en train, plus encore sur l'aire d'embarquement. Jusqu'à ce que son neveu et lui se retrouvent seuls sur le quai, les yeux levés vers le paquebot à essayer d'identifier les leurs parmi la foule amoncelée au bastingage. Le Dr Schwarzberg n'aurait su jurer de rien, mais il lui sembla avoir vu à ce moment-là une larme perler au coin de son œil gauche, que son oncle avait écrasée d'un index discret avant de remonter le col de son manteau, évoquant le froid de l'intersaison, « le plus sournois », s'était-il justifié. Lorsque la sirène du bateau retentit enfin, s'imposant aux autres bruits alentour, il avait déjà récupéré son esprit malicieux.

Le neveu et l'oncle décidèrent alors de rejoindre la gare à pied afin d'éviter, en cas d'affluence, le trajet au fond du tram, après avoir été obligés de céder leurs places à des bons Aryens, comme l'exigeait la loi. Une idée du Dr Schwarzberg, à vrai dire, une bonne marche par ce temps frisquet leur ferait du bien. Du port à la gare, il y en avait pour une trotte. Ruben la mit à profit pour retrouver son oncle. Joshua avait multiplié les voyages ces dernières années afin de maintenir le chiffre d'affaires de l'entreprise familiale, surtout lorsque certains clients avaient commencé à lui fermer la porte au nez à cause de son nom, ils ne voulaient prendre aucun risque, on ne sait jamais. Ruben, lui, avait été pris par les études, l'internat et son affectation aux urgences. À force, les deux hommes avaient perdu un peu de leur tendre complicité. Enfant et même adolescent, oncle Joe représentait un personnage de légende pour son neveu, à l'égal des pirates sortis de l'imagination de Salomé, et dont il attendait les retours avec impatience ; à l'arrivée, il buvait ses paroles à l'écouter évoquer ses voyages

lointains, ses aventures aussi nombreuses qu'impro-
bables, avec force humour et un talent de comédien
consommé, capable de tenir son public, les femmes du
clan et lui, toute une soirée en haleine. Aujourd'hui, le
Dr Schwarzberg n'aurait su dire si c'était l'imagination
débridée d'oncle Joe, sa fascination d'enfant ou l'éloignement dans le temps qui en avaient fait un héros et
peuplé tous ces ailleurs de tant de merveilles.

Ce jour-là, sur le chemin de la gare, les deux hommes
se félicitèrent d'avoir réussi à mettre la famille à l'abri,
se renvoyant la palme du mérite. « Plutôt toi, tonton,
admit sans peine Ruben. – Mais non, tout le monde
y est allé du sien. » Oncle Joe n'était pas du genre à
attirer les projecteurs sur sa seule personne, il souffrait
même d'excès de modestie, hormis pour se vanter de
ses succès féminins. « Salomé s'est débrouillée comme
une grande. Et Ruth, comme une chef », avait-il ajouté,
admiratif. Elle leur avait envoyé un télégramme trois
jours plus tôt, avant de quitter enfin Hambourg. Des
mois à attendre un départ plusieurs fois reporté pour
des raisons qu'ils s'imaginaient bien, mais qu'elle ne
pouvait pas leur raconter. À l'heure qu'il est, *Beezrat
Hachem*, son bateau devait approcher des côtes de la
Palestine. Ruben fut surpris d'entendre son oncle utiliser,
qui plus est en hébreu, l'expression « avec l'aide de
Dieu », mais il s'abstint de tout commentaire.

Les deux hommes marchèrent quelques minutes
en silence, comme si chacun dialoguait de son côté
avec une voix intérieure. Puis, de but en blanc, sans
s'embarrasser de circonlocutions inutiles, Joshua avait
avoué son homosexualité à Ruben. Son neveu était
le premier dans la famille à qui il s'en ouvrait aussi
franchement. Les autres savaient, au fond, « surtout ta
Bobe, fit-il. Ce genre de chose n'échappe pas à une

mère ». Mais ils avaient préféré faire semblant de croire à ses aventures féminines aux quatre coins de l'Allemagne et de l'Europe, même s'il ne leur avait jamais présenté de femme. Sauf une fois, au tout début, pour couper court à leurs incessants « Quand est-ce que tu nous la présentes ? » et avoir la paix, une greluche qui n'avait rien pigé, elle non plus, à l'histoire et pensait avoir dégoté la perle rare pour mettre un terme à son ménage forcé avec sainte Catherine. La comédie avait duré pas loin d'un an ; il reconnut n'avoir pas été très honnête sur le coup. Puis il avait inventé une rupture douloureuse, clamé haut et fort son intention de ne plus recommencer l'expérience, les femmes ne peuvent offrir le meilleur d'elles-mêmes à un homme que dans le rôle de maîtresse, et donc tenues à distance au quotidien, il se fit alors rabrouer par ses sœurs et sa nièce qui lui donnèrent du phallocrate sans cesser de l'aimer pour autant. Depuis, il n'avait plus ramené personne à la maison. Le voilà bien arrangé maintenant, avec une tare en plus aux yeux du petit caporal et de ses chiens de garde. Il avait toujours senti, « peut-être à cause de ton métier de médecin, va savoir », qu'il pouvait dire la vérité sans fard à son neveu, qu'avec lui il n'avait pas besoin de feindre par peur d'être jugé. « Ce n'est pas drôle tous les jours, tu sais, de te faire passer pour qui tu n'es pas. »

Son intuition ne l'avait pas trompé. La confidence d'oncle Joe avait laissé Ruben sans émotion particulière, sauf peut-être flatté de sa confiance. C'est comme s'il avait toujours su, malgré le talent rare avec lequel son oncle avait donné le change à la terre entière, jusqu'aux autres hommes, jaloux de ses multiples conquêtes sans avoir à se traîner un fil à la patte : « Tu ne sais pas la chance que tu as. Je paierais cher pour être à ta place : avoir les avantages sans les inconvénients », lui disaient-ils. Pendant ce temps, lui leur enviait de ne pas devoir partir loin, s'inventer des voyages imaginaires pour recevoir de temps en temps un peu d'affection dans les bras d'un autre qui se dépêchait après d'aller cacher sa faiblesse dans l'ombre de son épouse, au courant parfois de son péché mignon, mais préférant se taire par peur, elle aussi, du qu'en-dira-t-on, de se retrouver seule avec les gosses, de voir baisser son niveau de vie. Joshua enviait à ces hommes de pouvoir rentrer à la maison et de trouver quelqu'un pour les accueillir, quelqu'un avec qui ils s'engueulaient parfois, mais qui n'était pas que de passage dans leur vie. Alors, pour donner le change, il était devenu la caricature de l'homme sans attache particulière, le marin avec dans chaque port une aventure qu'il troquait contre une autre à la prochaine escale. Sans dire un mot, Ruben avait entouré de son bras l'épaule d'oncle Joe. Il le dépassait d'une bonne tête, ça lui fit bizarre. Comme si un tel vagabond, qui avait vu tant de pays, ne saurait être de plus petite taille que son neveu.

C'est à ce moment-là, il devait être aux alentours de 10 h 45, que les trois hommes, deux en uniforme marron, culottes de cheval et képi, l'autre en imper civil, brassard autour du bras gauche, borsalino beige rabattu sur le front, s'étaient matérialisés devant eux. Comme surgis de l'enfer. Tout à leur discussion, Ruben et son oncle ne les avaient pas entendus s'approcher. Les miliciens les avaient serrés et leur avaient ordonné de les suivre. Le Dr Schwarzberg se rappela avoir compris tout de suite. Oncle Joe et lui n'avaient pas opposé de résistance, ni même essayé de demander pourquoi : ils savaient. Il se souvint aussi que son oncle les avait salués d'un bonjour timide, question d'éducation, dirait celui-ci des années après, réflexe de peur, penserait Ruben, car on ne sait jamais comment réagir dans ces moments-là, de toute façon, les miliciens n'avaient pas répondu, par mépris peut-être, ils en avaient vu d'autres, ou ils n'avaient pas entendu. Ils n'ouvriraient la bouche qu'une fois pour les forcer à accélérer le pas, *« Schnell ! Schnell ! »*, les bousculant au passage. Neveu et oncle furent emmenés au commissariat situé une trentaine de mètres plus loin, puis parqués dans une étroite cellule grillagée, aux murs écaillés, maculés de traces de sang, empreinte d'une forte odeur de vomi et d'alcool bon marché.

Une poignée d'heures plus tard, ils en furent éjectés par un tonitruant *« Raus ! »*, traînés sans explication à la gare et jetés dans le dernier wagon d'un train stationné en bout de quai, au milieu d'une grappe de zombies debout, serrés les uns contre les autres, les yeux vides de toute expression. Après quelques heures d'un voyage plus long encore qu'un jour pluvieux d'automne, où l'on s'accrochait à toute excroissance matérielle ou humaine pour ne pas finir en charpie, où les enfants même épuisèrent leurs larmes, le train s'arrêta enfin dans un crissement de ferraille. Les passagers furent débarqués sans ménagement, les plus lents eurent droit à quelques coups de crosse pour leur donner du cœur à l'ouvrage. Ils passèrent sous une porte basse placée au milieu d'une immense grille en fer forgé au-dessus de laquelle Ruben déchiffra : *« Jedem das Seine. »* « À chacun son dû ». Le jeune homme sentit alors un étrange frisson parti de ses orteils lui parcourir le corps, remonter le long de la colonne vertébrale pour venir hérisser ses cheveux. Il eut soudain froid.

La nuit était déjà tombée. Le groupe fut conduit, les femmes et les enfants d'un côté, les hommes de l'autre, vers des baraques où se trouvaient des détenus en quantité incalculable, qu'on devinait à leur souffle et aux rares rayons de lumière qui venaient de l'extérieur, tombés des miradors installés autour du camp. Dans son malheur, Ruben eut la chance de ne pas être séparé d'oncle Joe, ni même lorsqu'ils prirent place dans un hangar sombre, se cognant au passage à des structures en bois. Le lendemain matin, il se rendrait compte qu'il s'agissait de châlits, encastrés les uns au-dessus des autres, avec des échelles au bout pour accéder aux étages supérieurs. En attendant, avec son oncle, ils durent se faufiler au milieu d'une grappe d'hommes, la plupart endormis, d'autres dont les yeux inquiets, comme ceux des animaux croisés dans la nuit, reflétaient les projecteurs qui balayaient par à-coups la pièce.

Voilà comment le Dr Schwarzberg s'apprêtait à passer sa première nuit dans cet endroit dont il ignorait jusque-là l'existence, coincé au milieu de corps inconnus et de nulle part, sonné, sans sembler comprendre ce qui lui arrivait. Tout était allé si vite. Et les multiples questions qui lui colonisaient l'esprit : pourquoi eux ? comment les avait-on reconnus ? quel sort les attendait, vu qu'on n'avait rien à leur reprocher ? ne trouvèrent aucune réponse. Devant le vide abyssal ouvert sous ses pieds, dans ce lieu hors de portée de Iahvé, comme aurait dit Bobe, il se surprit à ânonner en silence une des *téfilot* apprises dans son enfance, sous la férule de sa mère et de sa grand-mère : « Le Seigneur a donné, le Seigneur a repris : que le nom du Seigneur soit béni ! » Cela faisait longtemps qu'il ne se posait plus la question de la foi et se contentait de vivre avec les seules certitudes de la science…

7

Johnny l'Américain

Longtemps, le Dr Schwarzberg choisirait de taire cet endroit sur lequel tant de choses seraient racontées, filmées, écrites, peintes, chantées, sculptées, sans épuiser pour autant l'étendue des abominations qui y furent perpétrées, à l'instar d'un cadavre qui n'en finirait pas de livrer ses vérités sur les mille et une manières dont la chair vivante avait été souillée. Son naturel de taiseux ne ressentit pas le besoin d'ajouter sa parole au trop-plein de mots qui tomberaient, par la suite, de partout et de nulle part pour tenter de dire l'ignoble. Au-delà de l'horreur, ce qui le marquerait le plus, ce fut d'avoir trouvé, au moment où il s'y attendait le moins, une parcelle d'humanité dans ce lieu, comme un bourgeon en fleur au mitan d'un champ de bataille. Un clin d'œil de la vie, là où des hommes donnaient avec jubilation la mort à d'autres hommes.

La rencontre avec Johnny, un hasard à l'origine de tout le reste, participait de cette persistance de l'humain, plus importante à ses yeux que ce qui s'était passé là-bas, dont il ne voulut plus prononcer le nom, malgré les demandes pressantes des autres, comme si son corps et son regard, par moments égaré loin de lui-même au souvenir de tant d'infamies, n'en avaient pas ramené de stigmates assez parlants. Et ce hasard, la rencontre dans un tel lieu avec ce personnage qui n'aurait de cesse de l'intriguer, comme oncle Joe dans son enfance, voilà ce qu'il choisirait de garder au fond de lui.

Cette première nuit, Ruben eut du mal à s'endormir, à cause des questions qui lui trottaient encore dans la tête, et des cauchemars de ses voisins. Certains hurlaient dans leur sommeil, d'autres marmonnaient des paroles sans queue ni tête : des bribes d'allemand et de polonais, des mots aux consonances slaves, dont le sens lui échappait. Tous ces sons, sourds et déchirants tour à tour, se mêlaient au gargouillis des estomacs, aux flatulences expulsées des boyaux, au craquement du bois sous le poids des corps, aux chuchotements de ceux que, comme lui, le sommeil s'acharnait à fuir.

Les yeux de Ruben tentaient encore d'apprivoiser l'obscurité lorsqu'il entendit susurrer : « *Try to sleep, brother.* » Il sursauta. Comment diable son interlocuteur avait-il pu deviner qu'il ne dormait pas ? « Autant s'habituer tout de suite », fit la voix, après un temps d'arrêt. L'homme s'exprimait en anglais, donnant pour acquis que Ruben comprenait cette langue. Il parlait entre les dents, par à-coups et très vite. Il craignait peut-être de trahir la provenance de ses mots. Alors, il les pesait, les comptait, les calculait. En fait, seul le corps d'oncle Joe, dormant déjà du sommeil du juste, le séparait de l'homme, qui se présenta comme étant américain. Ruben n'avait aucune idée de l'endroit où on les avait emmenés, savait-il le lui dire ? La voix répondit dans le noir : « On est à Buchenwald, *brother*. Tu verras demain. »

L'homme voulut savoir à son tour d'où venait Ruben, ce qui lui avait valu d'échouer ici. Il se passa alors quelque chose d'inexplicable pour le jeune Berlinois, si peu enclin à parler de lui. Sans doute l'obscurité, ou le fait de s'adresser à un inconnu qu'il pensait ne plus revoir. Quoi qu'il en soit, il s'entendit chuchoter l'histoire de sa vie un peu comme on se confesse quand on sait aller vers une mort certaine. Il dit Łódź qui, à la vérité, n'était plus son histoire, mais celle des siens. L'homme lui dit qu'il avait tort : « Le passé d'un individu, c'est comme son ombre, on le porte toujours avec soi. Parfois il disparaît. (Silence.) Parfois il revient. (De nouveau, le silence.) Des fois, on le cherche, et il ne vient pas. Et un jour, il surgit alors qu'on ne l'attend pas. (Silence prolongé.) Pareil à un esprit farceur. Il faut apprendre à vivre avec, à s'en servir au mieux pour avancer. » L'homme, dont il ne pouvait deviner l'âge à cause de l'obscurité, avait le ton d'un vieux sage. « Désolé, fit-il, je t'ai coupé la parole. »

Ruben continua, adoptant d'instinct le rythme saccadé de l'Américain, fait d'avancées et de silences contrôlés. Le même chuchotement aussi, assez clair pour se faire entendre sans attirer l'attention des oreilles indiscrètes. Il dit l'installation à Berlin, la ville de sa deuxième naissance, où il vécut deux décennies d'insouciance. Puis le départ précipité des siens pour New York, pas loin de Harlem. L'Américain connaissait peut-être. Celui-ci dit non, il était de Chicago, la capitale du blues. Tante Ruth, elle, avait choisi de monter en Palestine. « Un rêve fou », dit-il. L'homme l'interrompit à nouveau : « Aucun rêve n'est fou si on se donne les moyens de le réaliser. » Une phrase prononcée sur le même ton sage, dont le Dr Schwarzberg se souvenait encore.

À la fin, l'Américain le félicita. Ruben crut à une appréciation de son parcours et dit qu'il n'avait aucun mérite, il n'avait pas choisi d'être lui-même. Mais l'homme faisait allusion à son léger bégaiement. Seule une oreille avertie pouvait s'en apercevoir, tant il maîtrisait son handicap. Sa façon de marquer une courte pause avant d'attaquer les syllabes trop dures pour éviter de venir buter contre le mot. Son intonation tout en rondeurs, qui s'échappait parfois – oh, rarement – dans des précipités plus hachés. Sa manière de contrôler sa respiration. Du grand art. Bravo ! Ruben se mura dans le silence. En plus d'avoir pris connaissance de son histoire, l'homme avait fini de le mettre à nu. Personne, pas même sa mère, n'avait déchiffré d'aussi près son bégaiement. Il s'ajusta du mieux possible sur un côté et rattrapa dans l'instant le sommeil qui l'avait fui jusque-là.

Les présentations avec son interlocuteur allaient se poursuivre au matin. Profitant du dos tourné du kapo, l'Américain lui lança : « *Good morning, brother. Welcome to Buchenwald* », d'une voix en net contraste avec le timbre de fausset de la veille. Il avait prononcé BuSCHENwald, un piège pour les francophones dont le gosier plutôt rétif au « ch » teuton a tendance à émettre un son chuintant, identifiable à tous les coups. Ainsi donc, lui aussi avait quelques imperfections langagières à dissimuler, le Yankee. Le Dr Schwarzberg l'avait déjà noté la veille. En dehors de ce constat, sa présence dans ce lieu, à un moment où on y trouvait très peu de non-Européens, avait surpris Ruben. Autant son teint à lui était quasi laiteux, piqueté de roux au moindre coup de soleil, autant celui du Yankee tirait sur le jais. La quarantaine, un mètre quatre-vingt-cinq à vue de nez, physique d'athlète, cheveux poivre avec de fines touffes de sel aux tempes, l'homme affichait une assurance déconcertante. Il avait reconnu Ruben en dépit du fait qu'ils se découvraient à la lumière du jour – le réveil brutal et précipité avait eu lieu avant l'aube – et de l'uniforme hideux du camp, un pyjama rayé bleu et blanc en longueur, qui le rendait identique aux autres détenus. Comment avait-il fait ? Un mystère, qui resterait aussi impénétrable que les circonstances de son arrivée au camp.

L'Américain arborait un sourire franc, plus amène que sa remarque de la nuit précédente : « John Nichols, fit-il. *You may call me Johnny.* – Dr Schwarzberg », dit Ruben. Un réflexe professionnel stupide, qu'il regretta. Quelle coïncidence, fit Johnny ! Lui aussi était médecin, il avait étudié à Paris. Ça coûtait moins cher qu'aux *States*, surtout pour des gens comme lui. Ruben n'en saurait pas plus ce jour-là. L'œil et l'oreille affûtés d'un kapo, dont la petite taille et les rondeurs abdominales trahissaient l'idéal physique officiel, avaient repéré le bavardage du Yankee. La schlague siffla dans l'air pour l'atteindre entre la nuque et le dos. Johnny serra les mâchoires, mais ne broncha pas. Le kapo au physique ingrat jongla avec la matraque, la fit voltiger d'une main à l'autre, toisa le détenu tel un banderillero un taureau immobilisé. Le silence se fit plus épais encore que le brouillard compact du petit matin. Ruben craignit le pire. Mais le gnome rondouillard semblait d'humeur badine, il lâcha enfin : « Chante-nous quelque chose, *Neger*. Vous savez tous chanter et danser, non ? Vas-y, *Sing, Neger. Sing.* » La voix de Johnny, une voix de baryton qui rappela au Dr Schwarzberg un certain Paul Robeson découvert grâce à Jürgen, s'éleva du milieu de ses compagnons de galère :

> *Go down, Moses,*
> *Way down in Egypt land*
> *Tell ol'Pharaoh,*
> *Let my people go.*

L'espace d'un couplet, un ange flotta au-dessus de cette partie du camp et des quelques arbres bourgeonnants dressés, geôliers géants, devant les blocs. Les déportés s'échappèrent alors loin de leur martyre et du froid qui s'engouffrait dans l'immense allée, enlevés au ciel, comme de son vivant le prophète Élie, par la voix de Johnny/Paul Robeson. Un semblant de jour poignait au-dessus de leur tête. À ce moment-là, une sirène lancinante retentit, convoquant les prisonniers sur la place de l'appel et mettant fin ainsi au divertissement du kapo.

Ruben dut à son statut de médecin généraliste d'intégrer le dispensaire des détenus dès le lendemain de cet incident. Soit il était né coiffé, soit Dieu, de guerre lasse, avait exaucé l'une des nombreuses prières de sa mère, lui dit oncle Joe qui, sans bénéficier de la même veine, mais débrouillard comme à son habitude, réussirait tant bien que mal à s'en sortir lui aussi. Moins physique que celui des autres déportés, le travail au *Revier* n'était pas pour autant une sinécure. Le personnel médical manquait, et les malades, les vrais comme les faux, auxquels il fallait à tout prix trouver un mal pour leur éviter de déguster, arrivaient par contingents entiers. La cadence rappelait celle des urgences à l'hôpital avec, toutefois, des souffrances différentes. Ruben fut étonné d'y trouver Johnny en tant que simple aide-soignant, une façon peut-être de l'humilier, à cause de sa couleur de peau. Le bonhomme ne s'en plaignait pas. D'une rare vivacité d'esprit, il était parvenu, en deux semaines de détention, à déchiffrer le système d'internement, fait de règles strictes et d'improvisations dont seuls les seigneurs maîtrisaient le code. Le reste était une affaire d'équilibre entre roublardise, flatterie et intimidation pour réussir à tirer son épingle du jeu de pouvoir et de cruauté en vigueur dans le camp.

Il fallut peu de temps à Ruben pour découvrir la vérité : l'Américain était certes habile, mais aucun professionnel sérieux ne lui aurait reconnu une formation en médecine. Tout au plus pouvait-il avoir travaillé comme garde-malade dans une structure médicale, à Paris ou ailleurs. C'est là qu'il avait dû apprendre à faire une injection, nettoyer et panser une plaie afin d'éviter l'infection, détecter une carie, proposer de l'aspirine, quand il y en avait, pour des maux de tête ou une rage de dent. Du tanin, pour combattre la diarrhée – les diarrhées de la faim proliféraient dans le camp. Au contact de Doc, comme d'entrée de jeu il surnomma son compagnon de baraquement, il apprendrait même à diagnostiquer les premiers cas de typhus. Là s'arrêtaient ses compétences.

Ruben redoutait le moment où l'administration viendrait à le savoir, parce qu'un autre prisonnier, par jalousie ou pour prendre sa place, l'aurait balancé ; qu'un kapo s'en serait aperçu. Ou bien, plus diabolique encore, la direction s'en était rendu compte et laissait sciemment sévir ce docteur Mabuse afin de se débarrasser à moindres frais des détenus, dont le nombre ne cessait d'augmenter. Dans le doute, le Dr Schwarzberg s'évertua à repousser le moment fatidique. Il s'arrangeait toujours pour démarrer ses consultations par un « j'ignore comment vous traitez ce cas à Paris, mais à Berlin… ». Johnny savait les risques courus et apprécia la main tendue avec tant de discrétion. Il savait aussi renvoyer l'ascenseur, en plus d'exceller dans le baratinage, de toujours avoir le mot pour rire et de voir le verre à moitié plein, imperméable à l'univers autour de lui, un trait de caractère qui illuminait, une minute ou deux, les jours où le moral flottait trop bas. Avec un Joshua sous le charme, qu'il baptisa « *Uncle Joe* » malgré la petite différence d'âge en sa défaveur, ils allaient devenir les champions de la débrouille du camp.

Le travail au *Revier* offrait un autre avantage : le kapo étant souvent placé à l'entrée pour filtrer les malades imaginaires, Ruben eut quelques occasions pour apprendre à connaître un peu Johnny. Mais le Yankee baissait rarement la garde, pour ne pas dire pas du tout, il était toujours aux aguets, pareil à un animal dans la jungle, qui sait que le moindre relâchement se paie de sa vie. À la première alerte, faute de pouvoir fuir, il plaçait son salut dans l'esquive ou, si nécessaire, dans le choc frontal, un art, là aussi, où il sut en imposer même aux plus fortes têtes. Comme ce jour où, d'un uppercut au plexus suivi d'un tranchant à la carotide, il dézingua un Hongrois baraqué qui avait jeté sur son passage « *Sing, Neger. Sing* », avant de le traîner lui-même reprendre souffle au *Revier*. Les coups avaient été portés avec une rapidité ahurissante, secs, précis. Les camarades du Hongrois, présents, n'avaient pas osé intervenir ni rapporter l'incident à un kapo, sous peine de passer pour des balances. Cela avait valu à Johnny le respect de tous les spectateurs et renforcé sa légende dans le camp.

Le Dr Schwarzberg et l'Américain n'en vinrent pas moins, un jour, à discuter des raisons de leur présence au camp et de leurs origines respectives. Ruben parla d'un essai qu'il avait lu et relu les semaines précédant son arrestation, et qui défendait des idées aux antipodes des thèses nazies. Son auteur était l'Haïtien Anténor Firmin, médecin comme eux. À l'évocation d'Haïti, l'Américain perdit sa bonne humeur pour la première fois depuis leur rencontre. Il sembla encore plus sur la défensive. Crispé tel un enfant à la vue d'une seringue. Plutôt tête en l'air, voire gaffeur pour tout sujet qui n'était pas en relation avec la médecine, Ruben s'en aperçut et s'en tira par une pirouette lorsque le Yankee lui demanda ce qu'il savait d'autre de l'écrivain et de son pays. « À la vérité, pas grand-chose, fit Ruben. J'ai ouï dire que, dans cette région du monde, la température est clémente toute l'année. Il doit y faire bon vivre. »

S'il parut peu convaincu de la réponse – encore un visage pâle, devait-il penser, qui ne voit ces contrées que comme des terres d'exotisme et de débauche –, Johnny savait d'instinct ne rien avoir à craindre de son nouvel ami. Il finit par se laisser aller et à détendre l'atmosphère. À Paris, fit-il, la plus belle ville du monde soit dit en passant, même son Chicago natal peinait à soutenir la comparaison, des amis haïtiens lui avaient raconté l'histoire de l'indépendance de leur pays. Des Polonais, venus avec l'armée napoléonienne rétablir l'esclavage dans l'île, s'étaient finalement rangés du côté des rebelles. Doc, qui avait du sang polack, avait dû en entendre parler, non ? « Pas vraiment », mentit Ruben, pour éviter de nouvelles tensions. À force de fréquenter les Haïtiens de Paris, il avait atterri dans le salon d'une poétesse, une certaine Ida Faubert, une grande dame, fille d'ancien président de la République. Elle habitait rive gauche, dans le xvᵉ arrondissement, rue Blomet, celle-là même où se trouve le Bal Nègre, un club à la mode où il allait à la chasse aux oies blanches, il avait, « soit dit en passant » (un tic dont il n'arrivait pas à se défaire), connu bibliquement la moitié de la boîte, l'autre moitié ne valait pas le coup, et il partait de ce rire solaire qui résonnerait longtemps aux oreilles du Dʳ Schwarzberg. Dans la petite communauté haïtienne, le bruit courait qu'Ida naviguait à voile et à vapeur. À ses yeux à lui, c'était une sacrée belle pièce de femme qui connaissait en plus du beau linge. Si un jour Doc passait dans le coin et qu'il était dans la mouise, il pouvait aller la voir de sa part… Johnny ne devait plus reparler de l'île caraïbe avec Ruben.

Une semaine après cette conversation, les deux amis ne virent pas revenir deux de leurs camarades de baraque. Des rumeurs invérifiables coururent sur leur compte : pour les uns, c'étaient des politiques qu'on avait exilés au bloc du non-retour ; pour les autres, ils avaient passé l'arme à gauche, suite aux sévices d'un kapo particulièrement vicieux… Ce fut oncle Joe qui leur apprit la nouvelle de la libération des deux détenus, il en avait eu la confirmation de source sûre. C'était donc possible, quelques chanceux avaient réussi à sortir de cet enfer. « Tout est possible dans la vie, Doc, dit Johnny. Dehors, ça dépend de toi. Ici, de tes contacts. » Ruben lui parla alors de son ancien professeur à l'École de médecine, qui avait ses entrées auprès des autorités de Berlin. S'il pouvait le prévenir, peut-être celui-ci aurait-il les moyens de les tirer de là. Cela étant, il ne voulait pas le mettre en mauvaise posture. Il lui devait déjà d'avoir pu garder son travail aux urgences. Johnny ouvrit de grands yeux étonnés. Ruben avait un tel contact et hésitait à s'en servir. Qu'attendait-il ? « De crever comme un rat ? Enfin, comme un chien », rectifia-t-il, se rappelant la propagande nazie qui comparait les Juifs à des rats. « Quels péchés as-tu à te faire pardonner, Doc ? » Il fallait à tout prix contacter ce gros bonnet. « Si t'as une adresse en tête, tu lui écris. Pas à l'hosto, ta lettre risquerait de tomber dans de mauvaises mains. » Il trouverait le moyen, lui, Johnny l'Américain, pour passer la lettre à l'extérieur, il en faisait son affaire.

Ruben rédigea le courrier sans trop y croire, plus pour ne pas déplaire à son ami, qui fit le guet pendant la rédaction. Il l'expédierait à l'adresse d'Olivaer Platz, où le professeur l'avait reçu avec d'autres étudiants. Il raconta la rafle en compagnie de son oncle, la déportation à Buchenwald, les conditions de détention. « Mets que tu n'as rien à te reprocher », souffla Johnny. Ruben s'excusa de ne pas mentionner le nom de son ami, il était trop tôt. Dans un deuxième temps peut-être, si son correspondant répondait. Promis, juré, il n'avait qu'une parole. « Je te crois, Doc, je te crois », fit Johnny. L'idée de pouvoir jouer un sale tour aux kapos, de soustraire deux victimes à leur brutalité, semblait suffire à son bonheur.

Les jours passèrent, avec leur lot de misères et de cruautés, sans que Ruben voie rien venir. Même s'il refusait de se l'avouer, l'envoi de la lettre avait allumé une petite lueur d'espoir dans un coin de sa tête. Trop beau pour être vrai, se dit-il. « Patience et longueur de temps / Font plus que force ni que rage, Doc », récita Johnny en français. Depuis qu'il savait que Ruben parlait aussi français, il alternait les deux langues pour communiquer avec lui. Très vite, il y ajouterait des rudiments d'allemand, une langue pourtant retorse. Faut dire qu'en la matière le bonhomme était plutôt doué. Après seulement quelques semaines au camp, il trafiquait en russe et en polonais, qu'il avait appris avec une étonnante facilité des mots tombés des lèvres de ses codétenus.

Ruben commençait à désespérer lorsque, au matin du 20 avril 1939, son oncle et lui furent mandés séance tenante à l'administration. La journée s'était ouverte sur un beau soleil de printemps. Trois autres prisonniers les accompagnaient. Le fonctionnaire qui les accueillit troussa un discours de circonstance, d'où il ressortit que, à l'occasion de son cinquantième anniversaire, le Führer, dans sa grande magnanimité, avait décidé de gracier des détenus au comportement exemplaire. Ruben reçut une enveloppe avec à l'intérieur deux billets de train pour Berlin et un carré de papier où il était écrit : « Bonne chance », des mots dans lesquels il reconnut l'écriture de son professeur. Le fonctionnaire leur remit des frusques, ayant sans doute appartenu à de nouveaux arrivants, qu'ils endossèrent sans piper mot, trop heureux de s'éloigner de cet endroit où, un mois durant, ils avaient cohabité avec la bêtise et la méchanceté. Au moment de partir, il ne leur fut pas permis de repasser par leur bloc.

Voilà comment le Dr Schwarzberg et oncle Joe furent jetés hors du camp, livrés à eux-mêmes. Ils marchèrent hébétés en direction de la gare, avec plusieurs kilos en moins, le regret de n'avoir pas pu saluer l'Américain, l'étrange sensation d'être revenus quelques semaines en arrière, au moment de prendre l'express pour Berlin. Comme si leur internement n'eût été qu'une parenthèse amère. Leur regard portait une étrange mélancolie qui les accompagnerait toute leur vie, disparaissant par moments pour revenir plus loin, à la croisée du chemin, tel un zombie facétieux contre lequel ils ne cesseraient jamais de se battre.

8

Berlin meine Liebe

Tandis que le train filait dans un grondement de ferraille en direction de Berlin, Ruben gardait les yeux
posés avec affection sur un oncle Joe qui n'avait eu
de cesse, tout au long du trajet menant à la gare, de le
remercier et de saluer son efficacité, de la haute voltige
vraiment ; la pomme ne tombe jamais loin de l'arbre,
il en avait la preuve, son neveu avait retenu ses leçons.
Encore tout étonné de se retrouver à nouveau dans la
peau d'un homme libre, oncle Joe tournait la tête tel
un périscope, un sourire béat sur les lèvres, à l'image
d'un enfant découvrant le monde, les insectes, les gens,
les nuages jouant à saute-mouton dans le ciel. Depuis
le départ, Ruben, lui, n'avait pas arrêté de penser : à
l'Américain, qu'il avait laissé dans la panade, il s'en
voulait encore de n'avoir pas mentionné son nom dans
la lettre, s'il avait eu plus d'audace, à l'heure qu'il est,
celui-ci serait libre lui aussi ; à Silke, dont il aurait
aimé parler avec Johnny pour avoir son avis d'homme
à femmes.

Au bout du compte, Ruben n'avait pas écouté les
conseils de sa sœur, il n'avait pas parlé de sa liaison
avec Silke à la maison. Après le départ de Salomé, il
avait choisi de mettre fin à l'histoire de manière unila-
térale, avant d'en informer Silke qui, verte de rage et de

déception, lui reprocha de ne pas l'aimer, mais pas du tout, le traita de couille molle. Elle s'en fichait d'aller vivre au pôle Sud ou ailleurs, avec les Lapons ou les balafrés du Togo, tout ce dont elle rêvait, c'était de lui faire des petits bâtards plein la maison où qu'elle se trouve, avec des taches de rousseur de la tête aux pieds, pour les empêcher de s'exposer au soleil. La confrontation fut houleuse, épique même, Ruben découvrant pour l'occasion la face rugueuse de Petite Soie, si douce d'ordinaire au point d'en paraître effacée, mais il avait tenu bon, convaincu d'avoir raison, de ne pas avoir le droit de lui imposer un tel sacrifice. Il le regrettait parfois, souvent même…

Ruben retrouva Berlin avec un plaisir d'adolescent à son premier rendez-vous d'amour. À l'approche de la capitale, il avait laissé ses yeux traîner sur les arbres en floraison après la longue traversée de l'hiver. Enfant, le printemps venant, il allait s'accroupir tous les matins dans un coin du balcon pour assister au spectacle de la résurrection de la nature, dans l'espoir de percer le mystère des branches qui débordaient sur la façade de l'immeuble, de saisir le moment précis où la fleur jaillirait du bourgeon. Ne pouvant pas l'en empêcher, sa mère s'en venait alors l'emmitoufler dans une couverture pour qu'il n'attrape pas un mauvais rhume, après, ce serait la croix et la bannière pour lui faire avaler un cachet, un désamour, celui des médicaments, qu'il traînerait toute sa vie. Ruben avait hâte de descendre du train, de se remplir les poumons de l'air de la ville, du soleil qui tombait doux du ciel limpide, lui caressait le visage et le cou à travers la vitre. Les bâtiments venaient à lui, familiers, au fur et à mesure que le train ralentissait sa course pour entrer en gare. L'émotion fut à son comble lorsque celui-ci s'arrêta enfin et qu'il posa les pieds par terre avant de se mêler au flot indifférent des voyageurs, porté par un sentiment indéniable : il était de retour à la maison. Au bout de quelques pas, après avoir laissé passer le flot de passagers, son oncle se tourna vers lui et l'étreignit longuement, comme s'ils n'avaient pas voyagé ensemble – ils avaient, de fait, peu échangé pendant le trajet – et qu'il était venu l'accueillir après plusieurs années sans se voir.

C'est d'ailleurs l'impression que ressentit Ruben lorsqu'il descendit à Savigny Platz pour remonter le Ku'damm à pied en direction de chez eux : celle, étrange, d'être longtemps parti et, au retour, plus personne ne le reconnaissait. Personne pour s'enquérir de son absence, lui raconter tout ce que ses yeux et ses autres sens avaient manqué : les odeurs, les bruits, le chant des enfants et des oiseaux, le goût de la ville… L'impression que la vie avait changé de plusieurs générations et suivi son cours sans lui, indifférente à son éloignement. Lui non plus ne reconnut personne. Il chercha en vain un visage ami, un sourire à même de lui rappeler un proche, un voisin, une trace autre que les murs des immeubles du quartier, quelque chose de vivant auquel il aurait pu s'accrocher. Rien n'y fit. Pas même lorsqu'il passa devant le théâtre Komödie où Salomé l'avait invité pour fêter son admission à l'École de médecine, et où il avait vu jouer l'icône Marlene Dietrich ; ni non plus devant ce club où Jürgen l'avait initié au *live jazz*. Une sensation vraiment étrange, le Dr Schwarzberg s'en souvenait encore, qu'il ressentit pour la toute première fois. Et ce *Biergarten* où un soir, à la sortie de l'École, ils s'étaient retrouvés avec Silke et il avait osé lui prendre la main. Il lui avait fallu tout de même trois pintes de HefeWeizen, avant de trouver ce mâle courage. Sa camarade d'amphi s'était alors tournée vers lui et l'avait embrassé avec l'appétit de qui attendait ce moment depuis longtemps déjà.

Quand il poussa la porte de l'appartement du premier étage, Ruben le trouva comme il l'avait laissé le matin de leur départ avec juste une poussière tenace sur les meubles et une odeur de renfermé, témoignage d'une longue absence humaine, qui le poussa à ouvrir les fenêtres afin de changer l'air. Le courrier des jours perdus fut lu avec émotion, sa maman avait toujours eu une plume belle et riche en détails. Ils étaient bien arrivés à New York, où ils vivaient un peu à l'étroit dans l'appartement de fonction de Jürgen et Salomé, dans le nord de Manhattan, à la lisière de Harlem. Il y avait des gens de couleur partout, un choc pour Bobe et Papy qui n'en avaient jamais vu avant, ni en vrai ni en photo, sauf une fois, sur une caricature de propagande du petit caporal qui imputait aux Juifs la venue des Noirs en Allemagne dans le but d'abâtardir la race aryenne. En côtoyer autant à la fois, de but en blanc, sans avoir eu l'opportunité de se roder au préalable, un peu comme on prendrait un médicament d'abord à petite dose pour habituer son organisme avant de passer à la médication de cheval, fut un choc, même pour elle qui savait pourtant que Moïse avait pris pour femme une Kouchite.

Dieu merci, ils avaient l'occasion de se promener dans d'autres quartiers de l'île, dont l'éclairage de nuit les avait impressionnés. Tout y était immense, démesuré, les avenues aussi larges que l'Olympiastadion ; on y marchait la tête renversée en arrière, les yeux levés vers les gratte-ciel, au point que Bobe, un jour, était allée se cogner contre une armoire à glace barbue en borsalino noir et *peys*, des papillotes d'une vingtaine de centimètres, lequel s'avéra être un vieil hassid polonais. Après les présentations, l'évocation dans la langue de là-bas du pays lointain que celui-ci avait laissé dix ans plus tôt, le loubavitch leur avait souhaité la bienvenue aux États-Unis, avant de disparaître au détour d'un boulevard de verre. Ils planifiaient d'emménager à Brooklyn Heights, de l'autre côté du fleuve qui, par endroits, rivalisait en largeur avec l'océan, et où la vie filait moins vite que dans l'île de Manhattan. Son cœur de mère languissait d'impatience à l'idée de le revoir et de le serrer dans ses bras.

Dans une deuxième lettre, elle s'inquiétait de ne pas avoir eu de réponse au courrier précédent, qu'il écrive pour les rassurer. Papa avait trouvé du travail comme fourreur, grâce à un coreligionnaire originaire de Łódź, le monde est petit, pas vrai ?, rencontré à la synagogue où elle l'avait traîné de force, en dehors de shabbat. « Dans les moments de détresse, il faut toujours invoquer le Très-Haut. Ne l'oublie jamais, mon chérubin. » C'est ce qu'elle avait dit à cet âne bâté de Néhémiah, les faits lui avaient donné raison. Salomé couvait une belle maladie, elle avait des nausées régulières depuis près d'un mois. Qu'ils donnent vite de leurs nouvelles, son oncle et lui.

Tante Ruth aussi avait écrit. Son bateau avait réussi à aborder les côtes de la Palestine et leur groupe à débarquer, après d'âpres négociations avec les autorités britanniques, qui finirent par capituler devant la détermination des réfugiés. Pas croyante pour un sou, ça l'avait troublée pourtant de poser ses mains nues, paumes ouvertes, sur le mur des Lamentations. Ses parents et Judith en auraient pleuré de bonheur. À la fin de la lettre, elle avait dessiné des gribouillis

– לְהִתְרָאוֹת – que Ruben et oncle Joe devinèrent être de l'hébreu sans pouvoir en déchiffrer ni le son ni le sens. Elle eut toutefois l'obligeance de placer à côté l'écriture phonétique, *lehitra'ot*, et la signification, « au revoir ». Oncle et neveu répondirent aux uns et aux autres, après s'être entendus sur le fait de ne parler de leur internement qu'au moment des retrouvailles. La perception des choses s'altère avec la distance ; de loin, on se fait souvent des frayeurs plus grandes que la réalité.

Voilà où en étaient les deux hommes quand arriva un mot du professeur sur un carré de carton blanc sans en-tête ni signature, qui allait droit à l'essentiel, comme à l'accoutumée. Il les aiderait à émigrer à La Havane dans les prochaines semaines. En attendant, ils devaient mettre à jour leurs documents de voyage, si ce n'était déjà fait, et obtenir un certificat de débarquement auprès du bureau cubain de l'Immigration. Surtout qu'ils n'en parlent à personne, au risque de ne plus pouvoir en bénéficier ! Une fois sur place, ils seraient libres de rejoindre la destination de leur choix. Ruben comprit entre les lignes que leur libération était conditionnée à l'obligation de quitter le pays. Dans leur recherche d'une terre d'exil, son oncle et lui n'avaient pas du tout envisagé Cuba, mais l'île caraïbe ou un autre ailleurs du monde, qu'importe, pourvu que ce soit hors de cette prison à ciel ouvert qu'était devenue l'Allemagne.

Grâce à la recommandation de son ex-professeur, les démarches à entreprendre aboutirent assez vite. Une formalité, qui leur valut quelques humiliations supplémentaires ici ou là, une somme rondelette pour l'autorisation de sortie du territoire, une petite fortune, le permis de débarquement à Cuba et un montant tout aussi élevé, le billet aller-retour pour un départ en principe définitif.

Tel fut le prix à payer pour obtenir le droit de s'en aller du pays, le deuxième que Ruben quittait ainsi, contraint et forcé, en à peine un quart de siècle de vie, sans avoir eu la possibilité de revoir le professeur afin de le remercier et de lui exposer la situation de Johnny. À défaut de le faire de vive voix, il le fit par écrit, reniant sa résolution, depuis le courrier de Buchenwald, de ne plus laisser de trace susceptible de compromettre son bienfaiteur et les chances de libération de son ami. Au moment de glisser l'enveloppe dans la boîte aux lettres, il se surprit en train de dire une courte prière comme avant de lancer une bouteille à la mer.

Ruben avait tenu aussi à revoir Silke avant de partir, et le moins qu'on puisse dire, c'est que la damoiselle ne lui facilita pas la tâche. Il dut s'y prendre à plusieurs reprises, multiplier courriers et appels téléphoniques, faisant intervenir, en désespoir de cause, oncle Joe qu'il fut obligé de mettre au parfum avant qu'elle ne se rende à ses arguments et accepte de le recevoir chez elle pour leur éviter, à la demande de Ruben, de s'afficher ensemble dans un lieu public. Sur place, il raconta à une Silke incrédule les événements des mois précédents, l'injonction de s'éloigner du territoire allemand et des terres annexées, le départ imminent pour Cuba… Il lui jura qu'il ne militait dans aucun mouvement politique clandestin, ceux de sa famille non plus, qui l'avaient précédé aux États-Unis. Regarde autour de toi, *meine Liebe* – l'expression lui avait échappé, il se reprit en disant « ma chère Silke ». Des dizaines de milliers de personnes fuyaient l'Allemagne parce qu'on ne voulait plus d'elles ; oncle Joe et lui avaient été arrêtés et déportés du seul fait d'être eux-mêmes. Au moment de se dire adieu, il lui confia l'original de son diplôme de médecin, dont il avait gardé une copie, et des photos de famille auxquelles il tenait. Silke ne céda que contre la promesse de lui écrire à son arrivée à La Havane. Elle savait que tout était fini entre eux ; d'ailleurs, elle fréquentait quelqu'un d'autre, mais elle tenait à le savoir sain et sauf à destination, il lui devait au moins ça. Ruben réussit à se contenir, mais les adieux n'en furent pas moins poignants : c'était comme s'ils se séparaient une seconde fois.

9

L'errance

Le jour venu, munis des documents nécessaires et d'une malle chacun – Ruben avait glissé dans la sienne le vieil exemplaire de *De l'égalité des races humaines* –, les deux hommes prirent place dans un des wagons de l'express pour Hambourg, d'où ils embarqueraient à destination de La Havane. Au départ du train, le Dr Schwarzberg se souvint d'être resté un long moment le nez collé à la vitre, essayant de fixer dans sa mémoire la ville de l'enfance et de l'adolescence, dans l'espoir d'emmener avec lui ses artères boisées, les mille fééries du Ku'damm, l'église du Souvenir de l'empereur Guillaume, dont la majesté, même sa mère en convenait, dominait la Breitscheidplatz, le château de la reine Sophie-Charlotte, le Schloss Bellevue, la Spree serpentant libre maintenant, quand l'hiver savait l'emprisonner en plaques de glace, compactes ici, fragiles par endroits… Le train mit hélas moins de temps à s'éloigner de Berlin que ne le ferait, quelques heures plus tard, le bateau de Hambourg.

Avant même d'arriver dans la ville connue pour ses matafs et ses filles de joie, Ruben avait laissé tout émoi derrière lui. Et ce fut d'un pas résolu qu'il s'engagea sur la passerelle qui menait dans le ventre du *Saint Louis*, un paquebot de croisière affrété pour transporter vers l'exil cubain un millier de demandeurs d'asile, volontaires ou forcés, à l'image de son oncle et lui. Toutefois, lorsque retentit la sirène du navire, il ne put s'empêcher de s'approcher du bastingage et d'agiter la main en signe d'adieu en direction de la foule inconnue venue saluer les siens. Tout cela fut fait très vite, sans qu'il se laisse envahir par l'émotion, au contraire d'oncle Joe qui s'éloigna pour tenter de ravir la sienne à la vue de son neveu. Durant une poignée de secondes, Ruben eut le sentiment que cet adieu serait définitif, qu'il ne reverrait plus, en tout cas pas de si tôt, l'Allemagne ni le Vieux Continent. Et tandis que le bateau s'arrachait à l'embarcadère dans un déferlement de bruits hétéroclites, il garda longtemps le regard accroché au port qui n'en finissait pas de rapetisser, avant de regagner la cabine qu'il partageait avec son oncle.

Ce 13 mai de l'an de grâce 1939 où le Dr Schwarzberg et son oncle embarquèrent à bord du *Saint Louis*, trois semaines s'étaient écoulées depuis leur libération de Buchenwald. Il faisait un temps doux. Le commandant, un petit homme sec à la moustache taillée au cordeau, ordonna à son équipage de traiter les passagers avec d'autant plus d'égards qu'ils avaient déboursé davantage que des plaisanciers normaux. Malgré la présence, qui se voulait discrète, d'agents de l'*Abwehr* et la photo grand format du petit caporal trônant dans le salon d'honneur du paquebot, les deux semaines en mer seraient joyeuses, voire festives. L'air du large, les bains de soleil au bord de la piscine, les repas fastueux sur fond de musique d'orchestre, les projections cinématographiques confortèrent la quiétude de Ruben et de son oncle, qui n'en demandaient pas tant. Et s'ils laissaient une vie entière derrière eux, le voyage vers l'inconnu qui les attendait se déroulait dans des conditions agréables. Toutefois, après quinze jours de croisière, entre rédaction de courriers à la famille et farniente, une mauvaise surprise les attendait à l'arrivée : au lieu d'aborder le port principal de La Havane, le paquebot fut dirigé vers la zone administrative réservée aux navires transportant des voyageurs en situation irrégulière.

La police côtière fut la première à monter à bord, confirmant ainsi les rumeurs qui circulaient d'une cabine à une autre depuis deux à trois jours déjà : le décret relatif à l'entrée à Cuba avait été annulé une semaine avant l'appareillage du *Saint Louis*. Le représentant du bureau d'Immigration était accusé d'avoir vendu des permis à des réfugiés politiques, et pas à des touristes, comme le stipulait la loi. Pour être admis sur le territoire souverain de l'île, les demandeurs d'asile, en plus de verser une caution de 500 dollars afin de prouver qu'ils ne seraient pas à la charge de l'État, devaient disposer d'un visa, payant là aussi, en bonne et due forme. À l'exception de la petite trentaine de détenteurs du précieux sésame, qui furent autorisés à débarquer, aucune solution au cas par cas n'était envisagée : c'était l'ensemble des passagers – dont certains, ayant été dépouillés de leurs derniers reichmarks en Allemagne, n'avaient pas les moyens de payer – ou personne. Trois jours passèrent, les négociations de la branche régionale du *Jewish Joint Distribution Committee*, une association d'entraide juive, avec les autorités locales n'apportèrent rien de concret. Face au rationnement, au confinement dans le port, à une partie de poker menteur qui s'éternisait, des voix en colère commencèrent à s'élever parmi les passagers, qui pour demander au commandant de les ramener en Allemagne, qui pour inciter leurs compagnons d'infortune à forcer le barrage policier : ils avaient acquis ce foutu certificat de débarquement au prix fort et en toute bonne foi, ils n'allaient pas se laisser faire. Entre les cris et la chaleur, l'atmosphère à bord devenait de plus en plus tendue.

C'est à ce moment-là que l'idée avait jailli dans l'esprit d'oncle Joe, qui se garda bien d'en parler à son neveu, de peur que celui-ci ne tente de le dissuader. Il se retira dans la cabine commune, où il prit soin de laisser à l'attention de Ruben, bien en évidence sur son lit, un mot expliquant son geste à venir, la serviette contenant les documents de voyage et la veste avec l'argent caché dans la doublure. Puis il attrapa le rasoir à manche nacré, cadeau d'anniversaire du seul amant qui ait laissé une trace dans sa vie, avant de remonter sur le pont. Là, profitant d'un instant d'inattention des trois policiers préposés à la surveillance, il se taillada la veine, enjamba le bastingage et se lança par-dessus bord, son premier contact, en ce début de juin, avec l'eau chaude de la mer Caraïbes dans laquelle il se laissa enfoncer, tandis que les autres passagers, le Dr Schwarzberg en tête, se ruaient vers le bastingage.

Repêché à temps, oncle Joe fut emmené d'urgence à l'hôpital pour y être soigné. En commettant cet acte, il croyait forcer la main aux autorités locales, qui auraient laissé son neveu le rejoindre à l'hôpital, au nom du regroupement familial. Mais il perdit cet ultime coup de poker. Et s'il gagna le droit de rester sur le territoire cubain, Ruben ne fut pas autorisé à débarquer. Pire encore, son initiative poussa les autorités à renforcer la présence policière à bord afin d'éviter une contagion d'actes désespérés.

Une semaine après l'arrivée à La Havane, tous les recours avaient échoué. Sollicités durant les tractations, les États-Unis ne voulurent pas dépasser leur quota de demandeurs d'asile pour ne pas créer un appel d'air et refusèrent, tout comme le Canada, d'accueillir les encombrants réfugiés. Le capitaine, un certain Gustav Schröder, dont le visage sérieux, mangé par une trop large casquette à visière, cachait une profonde bonté, dut remettre le cap sur Hambourg, la mort dans l'âme, son paquebot escorté par des vedettes de la police maritime cubaine jusqu'à l'entrée des eaux internationales.

Par la suite, beaucoup de choses seraient écrites et dites sur l'errance du *Saint Louis* et de ses migrants. Là aussi, le Dr Schwarzberg choisirait de se taire, voire de gommer cette histoire de sa mémoire, hormis le souvenir du commandant Schröder qui, à l'aller déjà, avait ignoré les télégrammes des Cubains, dans l'espoir qu'une fois à destination ils auraient laissé les passagers débarquer pour raisons humanitaires. Changement de stratégie au retour. En accord avec un petit groupe de voyageurs déterminés, le capitaine envisagea de provoquer un incendie à bord à l'approche des côtes britanniques, afin d'obliger la marine de Sa Majesté à intervenir et aider ainsi les réfugiés à échapper au sort qui les attendait en Allemagne. Ils n'eurent pas besoin de passer à l'acte. Relayées par la presse, les péripéties du *Saint Louis* avaient ému l'opinion internationale et forcé les gouvernements européens à réagir. Après quatre jours de navigation, pendant lesquels prières, pleurs silencieux, palabres pour se rassurer et visages ravagés d'angoisse remplacèrent l'ambiance festive de l'aller, le commandant Schröder reçut un télex : la Belgique proposait d'accueillir… deux cent quatorze demandeurs d'asile, une décision qui fit boule de neige et entraîna celles de la Grande-Bretagne, des Pays-Bas et de la France.

Voilà comment le Dr Schwarzberg déposa une demande d'asile pour l'Hexagone, arguant du fait qu'il ne resterait pas longtemps sur le sol français : il avait un dossier d'émigration en cours pour les États-Unis, où se trouvait déjà sa famille. Il indiqua dans son argumentaire qu'il connaissait déjà la langue de Voltaire, ce qui faciliterait son intégration, même pour un séjour provisoire ; cela rassurerait surtout sa mère francophile de le savoir à l'abri au pays des droits de l'homme, elle aurait été heureuse, mais si heureuse, de se promener avec lui sur les Champs-Élysées, la plus belle de toutes les avenues du monde, ajouta-t-il, histoire de caresser l'administration dans le sens du poil.

Accoudé au bastingage, le visage fouetté par le vent frais du large, il pensa à oncle Joe, dont les Cubains avaient eu l'élégance de lui transmettre les nouvelles par télex, son pronostic vital n'était plus engagé, et sa blessure était en voie de cicatrisation. Une fois en France, se dit Ruben, il lui enverrait une partie des sous restés dans la doublure de la veste. Il pensa aussi au capitaine Schröder, le seul dont il choisirait de se souvenir par la suite, lorsque les traces de ces péripéties auraient disparu de sa chair : un homme juste, à l'image de Johnny l'Américain, que la perspective d'aller à Paris ramena à son esprit.

Au fond de lui, il restait persuadé que le bonhomme s'en sortirait, grâce au professeur, dont il n'osait imaginer une réponse négative, ou par ses propres moyens, mais il réussirait à se tirer de là. Avec un peu de chance, ils se retrouveraient dans la capitale française pour faire la bringue, l'Américain avait beaucoup à lui apprendre dans ce domaine. Au camp, les seuls moments où il laissait les gants au vestiaire, c'était pour se vanter de ses prouesses féminines. Amateur de jazz et de rythmes caribéens, le type aimait se présenter en prédateur des nuits parisiennes, ayant ses habitudes dans les clubs à la mode : la Cabane Cubaine, du côté de Montmartre, la Boule Blanche et le Bal Nègre dans les environs de Montparnasse. Les petites oies blanches de bonne famille venaient s'y encanailler, « se frotter à l'exotisme d'ébène. Et là, *brother*, aucun effort à faire : elles tombent d'elles-mêmes. Du tout cuit, j'te dis ». Un soir, au Bal Nègre, il avait même croisé, passés en spectateurs, Joséphine Baker et Paul Robeson, le chanteur dont il avait repris le *Go Down, Moses*, le matin où il avait subi le courroux de cette saleté de kapo.

« Et toi, Doc ? Me dis pas qu'un beau p'tit brin de visage pâle comme toi, toubib en plus, n'a pas tapé dans l'œil du beau sexe. »

Et il s'esclaffait de ce rire si contagieux, qui résonna aux oreilles du Dr Schwarzberg appuyé au bastingage, mêlé de peine et d'affection.

Répit

Port-au-Prince, janvier 2010

Le Dr Ruben Schwarzberg pensait avoir laissé toute cette histoire derrière lui lorsque, des décennies plus tard, alors qu'il avait pris racine en Haïti au point de passer inaperçu dans le paysage, survint, telle une gigantesque plaie sur une terre déjà gangrenée, le séisme le plus dévastateur dont les entrailles de la Caraïbe aient jamais accouché. Parmi les médecins et secouristes accourus du monde entier se trouvait Deborah, la petite-fille de sa défunte tante Ruth, arrivée d'Israël le lendemain du drame. Le contingent israélien, l'un des plus importants, fut la deuxième force étrangère à atterrir dans le pays, dans la foulée des *marines* qui tergiversèrent avant de laisser débarquer les Français. Si on échappa d'un cheveu à l'incident diplomatique entre les deux nations les plus arrogantes de la planète, les échanges ne furent pas moins grinçants de part et d'autre de l'Atlantique. L'on vit à la télévision le porte-parole du Quai d'Orsay, un diplomate passé maître dans l'art de manier la langue de bois, qui tentait en vain de cacher sa calvitie sous une mèche rebelle, faire semblant de s'indigner, afin de sauver la face et d'entretenir la légende d'une puissance planétaire. Mais la vérité crue, nue, tout le monde la connaissait : l'aigle étoilé avait les serres plus acérées et le bec plus solide que les frêles ergots du coq gaulois.

Le jour de son arrivée, ses affaires à peine dépo-
sées dans un coin de l'immense tente-dortoir, Deborah
avait téléphoné au Dr Schwarzberg. La distance et le
temps n'avaient pas défait les liens entre les différentes
générations de la tribu : chacun, où qu'il se trouve,
restait relié aux autres, dont le nombre s'était agrandi
pourtant. L'appel avait laissé le vieil homme sans voix.
S'il ne savait pas sa tante disparue depuis une vingtaine
d'années, il aurait juré que c'était elle. Peut-être n'était-il
pas devenu aussi haïtien qu'il le pensait pour croire au
retour de tante Ruth, venue lui apporter un message
important du royaume des morts. Deborah avait senti
son trouble et s'était identifiée très vite. Elle faisait
partie, dit-elle, des médecins israéliens qui, à peine les
premières images diffusées sur Internet et à la télévision,
s'étaient portés volontaires pour venir dans l'île.

Après ce premier échange téléphonique, le vieil
homme dut attendre trois jours pour passer la voir en
coup de vent à l'hôpital de Tabarre, où elle officiait,
et une semaine entière avant que la jeune femme ne
puisse se libérer. Deborah l'avait averti le matin même
qu'il pouvait venir la chercher en fin d'après-midi pour
l'emmener dans sa maison de Montagne Noire où, si
le Dr Schwarzberg était d'accord, elle resterait dormir,
les nuits étaient peu sûres dans la capitale haïtienne, lui
avait dit son chef. Et puis, ça lui permettrait de souffler
un peu, une semaine qu'elle travaillait sans s'arrêter.

Le Dr Schwarzberg s'était présenté bien avant l'heure
convenue à l'entrée de l'hôpital, miraculeusement épar-
gné par le séisme. Devant le ballet des ambulances,
des blessés qui arrivaient en voiture privée, en taxi
ou trimballés sur des brancards de bric et de broc, le
vieux docteur se sentit inutile. Le temps l'avait rattrapé,

ses gestes étaient désormais ceux d'une tortue de mer sur la terre ferme. Pour venir de chez lui à l'hôpital, il avait dû se faire conduire par le chauffeur ; à son âge, il aurait été bien en peine d'affronter au volant la circulation chaotique de Port-au-Prince. L'attente n'avait pas duré longtemps, cinq minutes tout au plus, au bout desquelles Deborah apparut dans l'encadrement de l'entrée principale, éblouissante malgré la journée de travail, sa blouse de médecin à l'épaule et un sac à dos qui devait contenir ses affaires pour la nuit. Le Dr Schwarzberg n'eut aucun mal à la reconnaître, pas seulement parce qu'il l'avait déjà vue en photo. Avec ses boucles de feu, Deborah était le portrait craché de sa grand-mère.

Sur le chemin du retour, il avait pris place à l'arrière, aux côtés de sa petite-cousine qu'il n'arrêtait pas de regarder, de toucher. Ce fut elle qui parla durant le trajet. Elle lui dit dans le détail la branche de la famille implantée en terre d'Israël, des faits que le vieux monsieur connaissait pour la plupart. À peine débarquée en Palestine, tante Ruth avait trouvé enfin chaussure à son pied et fondé à son tour une famille. Elle lui dit aussi sa décision de faire des études de médecine, en partie à cause de lui. Sa grand-mère lui vouait une admiration sans bornes et ne ratait jamais une occasion de chanter ses louanges : Ruben avait fait de brillantes études à l'École de médecine de Berlin, Ruben était l'omnipraticien le plus connu d'Haïti. Ruben par-ci, Ruben par-là. Deborah avait grandi ainsi, dans le culte du Dr Schwarzberg, sans l'avoir jamais rencontré. Elle n'en revenait pas de se trouver à Port-au-Prince avec lui. Elle était si heureuse qu'elle ne sentait pas les dos-d'âne et les nids-de-poule, de véritables cratères par endroits, qui faisaient de la voiture une embarcation prise dans une mer houleuse. Toute sa vie, sa grand-mère, Dieu ait son âme, avait rêvé de ce jour, mais Dieu, le destin ou ses nombreux engagements n'avaient pas voulu. En prononçant ces mots, un voile était venu occulter la lumière intense des yeux de la jeune femme. Le vieux médecin lui passa le bras par-dessus l'épaule, l'attira à lui dans un geste d'affection avant de lui déposer un baiser sur le front.

Le crépuscule tombait déjà lorsqu'ils arrivèrent enfin à Montagne Noire. Deborah se glissa dans une des dodines installées sur la véranda, le temps d'admirer le rapide coucher de soleil sur la baie. Le Dr Schwarz-berg se présenta avec deux verres, un seau rempli de glaçons, une bouteille de rhum « Réserve du domaine », vieille de quinze ans. La bouteille n'était pas encore entamée. Le vieil homme l'ouvrit d'un geste sûr et, avant de leur servir à boire, versa trois gouttes dans la terre, au bas de la galerie. Surprise, Deborah l'interrogea sur le pourquoi de ces libations, une coutume, à sa connaissance, non juive. Le vieil homme lui répondit qu'eux autres, Haïtiens, ne buvaient jamais sans en offrir aux invisibles, c'est-à-dire les morts, les anges, qu'on appelle aussi mystères ici. Tout ce qui nous dépasse, en somme. C'est une façon de se rappeler que l'humain n'est pas seul au monde, qu'il est relié à tant d'autres êtres vivants et de choses. Deborah sourit à l'évocation.

Avant de s'en aller, la bonne avait déposé sur la table basse des bananes plantain frites, des accras et de la chiquetaille de morue, du *tasso* de cabri, de l'étouffée d'aubergines, de la cassave et des tranches de mangue – on en trouvait quelques-unes sur le marché, même si ce n'était pas la saison. Restés seuls, les deux méde-cins trinquèrent à leur rencontre, en ayant une pensée émue pour les dizaines de milliers de disparus, dont le nombre ne cessait d'augmenter. Deborah but une première gorgée de rhum, sec, afin d'en apprécier la saveur, puis une autre, et parut se détendre. Après une semaine passée jour et nuit à soigner des rescapés, à voir certains d'entre eux mourir faute de traitements ou, pour son équipe, d'arriver à temps à cause de la pagaille et des rues mal foutues, qui lui rappelaient Gaza, ce déplacement dans les hauteurs de la ville lui faisait un bien immense. Elle sentait la tension se relâcher peu à peu, son corps se liquéfier d'aise. Après trois gorgées nouvelles et avant même de commencer à manger, les questions fusèrent de ses lèvres. En plus de la médecine, elle avait une passion dévorante pour l'Histoire, celle de la famille en particulier. Avec un peu de chance, qui sait, réussirait-elle à faire parler ce vieil ours berlinois réfugié au sommet de sa montagne. La famille l'avait avertie : au contraire de feu oncle Joe, le Dr Schwarz-berg n'aimait pas du tout aborder cette question. Mais Deborah savait se montrer persuasive, jouer du charme quand il le fallait, elle y alla avec espoir et une douce détermination.

PARIS

« *Un lieu, je veux un lieu ! Je veux un lieu à la place du lieu pour revenir à moi-même, pour poser mon papier sur un bois plus dur, pour écrire une plus longue lettre, pour accrocher au mur un tableau, pour ranger mes vêtements, pour te donner mon adresse, pour faire pousser de la menthe, pour attendre la pluie. Celui qui n'a pas de lieu n'a pas non plus de saisons.* »

MAHMOUD DARWICH

1

Bretagne-sur-Seine

Le *Saint Louis* aborda enfin les eaux belges, puis le port d'Anvers où les réfugiés, une fois remplies les formalités douanières, furent répartis en fonction du pays d'accueil. Après quelques heures d'attente dans un salon plutôt bien aménagé, où on leur servit des boissons fraîches et chaudes, et quelques victuailles, le Dr Schwarzberg embarqua en compagnie de deux cent vingt-trois autres demandeurs d'asile sur un bateau marchand en route pour Le Havre avec la ferme intention de rallier Paris par tous les moyens à sa disposition : train, autocar, charrette à bœufs, à dos d'âne ou à pied s'il le fallait. Il n'avait rien contre Le Havre, dont il entendait parler pour la première fois de sa vie. La faute d'ailleurs aux Français, qui, à l'étranger, n'ont que Paris à la bouche, comme s'il n'existait pas d'autres villes dans leur pays, ou qu'ils avaient honte de ce qu'ils appellent la province ; exception faite des Bretons, mais eux, c'est spécial, ils ne parlent jamais que de la Bretagne. Bref, s'il avait choisi la France parmi plusieurs destinations possibles, c'était pour monter à Paris comme tout le monde, pas pour aller s'enterrer dans une quelconque cité portuaire.

Le Dr Schwarzberg était en train de retourner la question dans sa tête quand, soudain, il prit conscience de n'avoir personne pour l'accueillir sur place. L'idée d'un camp de réfugiés, même sans kapo, lui faisait horreur. Oncle Joe avait certes des contacts dans la capitale française, des clients d'un quartier nommé Sentier, où il avait séjourné lors de son unique visite à Paris, qui remontait à la traversée de la mer Rouge. Il s'imaginait mal aller frapper à chaque porte qui laisserait l'impression d'héberger un atelier de pelleterie, interpeller l'employé ou le propriétaire :

« Bonjour, je suis le neveu d'oncle Joe, fils de fourreur moi-même. Je suis arrivé en France par le *Saint Louis*, vous en avez peut-être entendu parler. Je n'ai nulle part où aller, est-ce que vous pourriez me loger pour un temps ? J'ai un peu d'argent avec moi, je ne serai pas à votre charge. »

Entre son français au fort accent germanique et son bégaiement qui serait revenu à la charge – il n'avait jamais su tricher –, son interlocuteur aurait vite fait de lui claquer la porte au nez. Il devait trouver une solution avant l'arrivée au port, dont le navire, ballotté par une légère houle, s'approchait d'heure en heure. Même s'il pouvait se prévaloir de son statut de réfugié, les douaniers lui réclameraient à coup sûr une adresse de référence dans le pays : on n'entre pas en France comme dans un moulin, surtout par ces temps de migrants menaçants qui piaffaient d'impatience aux frontières. Il palpa sa veste, celle d'oncle Joe en fait, pour s'assurer que l'argent était bien dans la doublure. Depuis le refoulement du *Saint Louis*, il la portait en permanence, malgré les manches qui lui arrivaient bien au-dessus des poignets et lui donnaient l'air du pauvre réfugié ayant tout laissé derrière lui. Il introduisit la main dans les poches intérieures, à la recherche d'un bout de papier quelconque, avec une adresse dont il aurait oublié l'existence. Il tomba sur la copie pliée en quatre de son diplôme de médecin, qu'il gardait aussi avec lui au cas où il devrait décamper sans préavis, ou que la police l'embarquerait comme à Hambourg sans lui laisser le temps de repasser par son hôtel. Et puis, un passager du *Saint Louis* lui avait dit qu'en France il fallait toujours avoir au moins un document d'identité avec soi, à exhiber pour tout contrôle impromptu de la police ou justifier de son existence devant une administration tatillonne ; dans son cas, ce n'était pas de trop.

Outre la copie du diplôme, le Dr Schwarzberg gardait aussi son titre de voyage dans la poche intérieure de la veste. L'autorisation de s'en aller avec un passeport allemand lui ayant été refusée, il ne lui restait que ce titre de voyage, qui faisait de lui un individu sans ancrage, sans nulle terre où arrimer sa vie et ses rêves. Homme carré et peu roué, il se demanda ce qu'aurait fait oncle Joe en pareille circonstance, ou un as de la débrouille comme Johnny. Celui-ci lui avait parlé d'une Haïtienne, une certaine Ida Faubert, une grande dame qui tenait salon à la rue Blomet, dans le XVe arrondissement de Paris. « Si jamais tu passes par là-bas, lui avait-il dit, et que t'es dans la mouise, n'hésite pas à aller la voir de ma part, Doc. » Avec un hâbleur invétéré comme Johnny, pour qui seule comptait la vérité du moment, on pouvait s'attendre à tout et son contraire. Mais bon, ça ne lui coûtait rien d'essayer. Et puisqu'il ne se rappelait pas le numéro exact de la rue, il mettrait un numéro au hasard sur la fiche d'information, pourquoi pas le 40 ? décida-t-il, comme les quarante ans passés par le peuple hébreu dans le désert d'Égypte, c'est ce qu'aurait fait oncle Joe. Les douaniers étaient gens obtus, il ne fallait pas éveiller leur soupçon ; le temps qu'on puisse vérifier, il serait dans la nature.

Ruben sourit à l'idée, s'étonnant lui-même de son toupet, on ne fréquente pas impunément des professeurs comme Johnny et oncle Joe. Il n'eut pas tort : son assurance et son statut officiel de réfugié l'emportèrent sur la méfiance du douanier qui, à la vue de son titre de voyage, lui souhaita la bienvenue en France. Après avoir échangé des reichsmarks contre des francs français et demandé la direction de la gare, il prit enfin le train pour Paris, en homme libre, avec un nouveau statut qui lui permettait d'aller et venir où bon lui semblait, à part en Allemagne et les pays sous la domination du IIIe Reich. Maintenant, il s'agissait de dénicher cette madame Faubert. Au lieu d'aller sonner à toutes les portes de la rue Blomet dans l'espoir de tomber nez à nez avec elle, le mieux, se dit-il, serait de se rendre au consulat ou à l'ambassade d'Haïti, quelqu'un saurait bien lui indiquer son adresse. À en croire Johnny, la dame était aussi connue que l'Arc de Triomphe ou le Moulin Rouge. Pendant le trajet, l'approche du moindre uniforme le trouvait en alerte, les neurones en ébullition, échafaudant des parades à d'éventuelles questions, à défaut de pouvoir sauter du train en marche. C'était devenu une seconde nature, au point de l'empêcher de s'endormir, malgré la tension et la fatigue accumulées les dernières semaines.

Le train entra dans Paris en milieu d'après-midi. À cette heure, en fin de semaine qui pis est, inutile de se présenter dans une administration ; le temps de demander sa route et d'y arriver, il trouverait porte fermée. Il valait mieux laisser passer le week-end et y aller le lundi, il en profiterait pour visiter la ville. Il descendit dans un hôtel du quartier Montparnasse, où on lui proposa à un prix prohibitif une chambre miteuse de la taille d'une cellule de prison, avec sanitaires en commun sur le palier. Après une longue douche pour se débarrasser aussi bien de l'odeur de transpiration que des émotions des jours précédents, dans l'intervalle, la gardienne était venue frapper à la porte de la salle d'eau pour lui demander d'arrêter, il y a d'autres clients qui attendent leur tour, monsieur, il sortit dans les rues et se laissa porter par le flot des gens. Entre les souvenirs ramenés de Johnny et de son oncle, les soliloques de sa mère qui pouvait parler toute une journée de Paris sans y avoir jamais mis les pieds, il ne se sentit nullement dépaysé. Il lui suffisait, en fait, de mettre une image sur les noms des rues et des monuments, en étant tantôt déçu, tantôt enchanté, car la réalité dépassait agréablement la réputation. Il trouva les rues sales et les façades des immeubles sombres, recouvertes d'une suie tenace, traces sans doute d'une pratique massive de chauffage au charbon ou au bois, loin en tout cas de la lumière dont la ville tirait sa renommée, alors qu'un minimum de ravalement ou une touche de couleur ici ou là les aurait illuminées ; cette lumière, lui semblait-il, ne demandait qu'à être révélée, jaillissant le long des quais, sur tel pont jeté par-dessus le fleuve, dans les échappées, majestueuses par endroits, de la Seine…

Après une longue promenade où, sans le vouloir, il se retrouva au pied de la tour Eiffel, épuisé, il choisit de revenir au point de départ, après avoir demandé une nouvelle fois son chemin. Et là, il entra dans un café-restaurant où, en guise de dîner, on lui apporta en tout et pour tout une espèce de pâte grisâtre surmontée d'un œuf avachi sur une tranche de jambon, que le serveur dit s'appeler galette. « C'est breton, monsieur. Ici, c'est un restaurant breton, forcément on sert des galettes. » Ruben, dont l'appétit n'avait pourtant rien de phénoménal, dut en manger trois pour faire taire son estomac. Au dessert, le garçon lui présenta une autre pâte plus fine, quasi transparente, badigeonnée de marmelade, dénommée crêpe. La différence entre les deux plats lui parut peu tangible. Mais il se dit : « À Rome, fais comme les Romains. » Ce que Bobe savait traduire à sa façon : « Quand tu arrives quelque part, tu vois tout le monde danser sur un pied, eh bien, tu danses sur un pied. » Quoi qu'il en soit, l'air peu amène du serveur ne laissait pas de place à la rouspétance. Au bout de quelques minutes, un homme accoudé au bar, visiblement éméché, se mit à vociférer : « Vive la Bretagne libre ! »

À la sortie du restaurant, la lumière des lampadaires baignait la ville d'un charme étrange, qui semblait l'inviter à passer outre les impressions mitigées du début. Il devait être autour de vingt-deux heures trente, Ruben eut l'idée d'aller traîner ses guêtres du côté de la rue Blomet et du Bal Nègre, histoire de marcher un peu sur les pas de l'Américain. À l'arrivée, il n'y avait pas grand monde, pas encore, d'après ce que lui dit le serveur, « il est tôt, monsieur, le Parisien termine de dîner à cette heure ». Ruben s'assit au bar et commanda un rhum. Johnny lui avait expliqué que, dans ces lieux, on buvait du rhum, le plus précieux apport de la Caraïbe à la civilisation universelle.

« Vieux ou blanc ? » interrogea le serveur.

Pris de court, il répondit :

« D'Haïti, si possible.

– Dans ce cas, je n'ai que du rhum vieux à vous offrir.

– Va pour le vieux alors. »

Devant la quantité ridicule présentée par le serveur, il dut commander un double rhum pour voir enfin apparaître un liquide ambré au fond du verre, une once à peine, faut pas exagérer. Il observa sous toutes les coutures la robe à la dorure suave, fit tournoyer la boisson dans le récipient porté à hauteur de ses yeux. Puis il plongea le nez dans le verre, une odeur ronde lui pénétra les narines, qu'il huma à pleins poumons. Ce devait être ça, l'odeur de la canne à sucre, se dit-il. Il goûta enfin. C'était la première fois qu'il en buvait. Une saveur veloutée, plus proche de celle du cognac, moins agreste et boisée que celle du whisky, lui envahit les papilles. Et au contact du liquide avec l'œsophage, il sentit enfin l'alcool lui fouetter le sang.

Au bout d'une heure, le local commença à se remplir. Il lui vint alors de demander au barman s'il connaissait madame Faubert, Ida Faubert, une Haïtienne qui vivait dans la rue. L'homme leva la tête, le regard méfiant. Peut-être son fort accent teuton, et le temps qu'il mit à poser la question. Le barman sembla réfléchir : V'là une plombe que l'mec il est assis au comptoir à caresser des yeux et à siroter son rhum, comme s'il n'en avait jamais vu de sa vie, et c'est maintenant qu'y m'balance sa question. Ou c'est un radin de la pire espèce, ou c'est un espion boche. Mais alors, qu'est-ce qu'il était venu foutre dans son bar ? Un mari cocu, il disait pas. Au moment où le type s'apprêtait à lui répondre Dieu sait quoi, genre il n'en savait rien, Ruben eut l'idée d'ajouter qu'il venait de la part de John Nichols. Le visage du serveur s'illumina d'un coup.

« Fallait l'dire plus tôt. Un drôle de gus, c'lui-là. Ça fait une plombe que j'l'ai pas vu. Qu'est-ce qu'y devient, dis donc ? »

Ruben n'était pas sûr d'avoir tout compris. Il répondit de manière évasive. Aux dernières nouvelles, Johnny se trouvait en Allemagne, où ils s'étaient connus quelques mois plus tôt, il devait y être encore. Il n'en dit pas plus. Le serveur s'en contenta, trop occupé à laver, essuyer ses verres, servir les clients, taper la conversation avec les uns et les autres dans le même élan, sans oublier pour autant la question de Ruben. Il pencha enfin la tête sur sa gauche et lui indiqua une table où était assis un homme seul, dans l'attente sans doute d'autres personnes, à en juger par les deux bouteilles, le seau de glaçons et les verres placés devant lui.

« Tiens, lui là, c'est un des compatriotes à la dame. Louis-Alexandre, cria-t-il, j't'envoie un pote à Johnny. »

Voilà comment Ruben obtiendrait l'adresse d'Ida Faubert et qu'il irait sonner à la porte de la dame le lendemain en milieu de matinée, après une nuit passée en compagnie d'un petit groupe d'Haïtiens qui avaient rejoint entre-temps la table de Louis-Alexandre ; à les écouter évoquer sans fin leur pays natal, entre rire, qu'ils avaient facile, et nostalgie. Et lorsque le quintette, en concert ce soir-là, attaqua les premiers morceaux, Ruben en resta ébahi. Il n'avait jamais vu autant de Blancs et de Noirs mélangés dans un même trémoussement, les premiers, sûrement des habitués, loin de faire pâle figure face aux déhanchés acrobatiques des seconds. Et tout ce beau monde, Blanches et Noirs, Noires et Blancs, Blanches et Blancs, Noires et Noirs, les femmes en robe de soirée légère, les hommes en costume nœud papillon, s'agitait et se frottait panse contre panse, bas-ventre contre popotin, dans des collé-serré torrides, tout cocktail interdit dans l'Allemagne qu'il avait laissée derrière lui.

2

La poétesse du XVᵉ

Pour accéder à l'appartement de madame Faubert, au quatrième étage d'un immeuble cossu de la rive gauche de la Seine, dans le XVᵉ arrondissement de Paris, le Dʳ Schwarzberg dut passer sous les fourches caudines d'un cerbère, dont l'expression laissait deviner des origines ibériques. Espagnole ou portugaise, il n'aurait su le dire avec précision. Toujours est-il que la femme, qui avait dû reconnaître aussi son accent, n'avait pas l'air de porter les Allemands dans son cœur. Le Dʳ Schwarzberg garda néanmoins son sang-froid et, pour mettre fin au flot ininterrompu des questions de la concierge, inventa sur l'instant un rendez-vous fixé de longue date, il était arrivé exprès de Berlin afin de rencontrer madame Faubert pour son journal, *Die Junge Front*. Il avait cité le premier titre qui lui était venu à l'esprit, en l'occurrence un magazine de jeunes catholiques antinazis, qu'il avait vu passer une ou deux fois en sous-main à l'École de médecine. La veille, ses interlocuteurs avaient confirmé que la dame était bien poétesse, « comme tous les lettrés haïtiens. Mais elle, c'est du très bon calibre », avait assuré Louis-Alexandre. D'où l'idée de l'interview afin d'en boucher un coin à la gardienne, qui, impressionnée qu'un journaliste soit venu de si loin pour un entretien avec madame, finit par lâcher prise et lui indiquer l'escalier et l'étage appropriés, non sans grommeler tandis que Ruben s'éloignait, ici, c'est un immeuble où habitent des gens d'un certain niveau, si on commence à laisser entrer le premier venu, c'est la porte ouverte à n'importe quoi.

Quand le Dr Schwarzberg sonna enfin au quatrième étage, il attendit une longue minute avant d'entendre des pas s'approcher de l'entrée. « Ou l'appartement est immense, pensa-t-il, ou je ne suis pas arrivé au bon moment. » La première hypothèse s'avéra exacte. Au nom de John Nichols, madame Faubert, venue ouvrir en personne, esquissa un sourire en coin et s'effaça pour le laisser entrer. À mi-chemin du couloir, elle l'introduisit dans un double living baigné de la lumière du jour, aux moulures travaillées à la perfection et à la cheminée de marbre gris veiné de blanc au-dessus de laquelle trônait, encastré dans le mur, un énorme miroir boisé. Le parquet laissait l'impression d'avoir été poncé et ciré une heure plus tôt, tant il rivalisait de brillance avec les poignées en cuivre des fenêtres. Les meubles, les tableaux accrochés aux murs et les bibelots témoignaient d'un goût certain, complétant un ensemble d'où rien ne dépassait, ni ne jurait. Perdu dans la contemplation des objets autour de lui, Ruben avait oublié la présence de la poétesse, qui se rappela à son bon souvenir par un léger toussotement. Le jeune homme se tourna vers elle, gêné, avant de s'installer sur le canapé qu'elle lui désignait de la main depuis un moment déjà. « Prenez place », fit-elle. Sa voix modulait une intonation qui rappelait un peu celle de Johnny.

Il n'avait pas fini de s'asseoir que la dame lui proposa, à sa convenance, du thé, elle en avait du très bon à la bergamote, de l'eau pétillante avec un zeste de citron vert venu de sa terre natale ou du jus de fruits. Le choix du Dr Schwarzberg à peine énoncé, celle qui devait être la gouvernante, une jeune femme à la carnation rosâtre et plutôt rondelette, fit son entrée avec un plateau chargé de boissons et de gâteaux secs, qu'elle déposa sur la table basse du salon, avant de s'éclipser en toute discrétion. Dans l'intervalle, le Dr Schwarzberg avait pu apprécier l'élégance de la dame, dont la mise trahissait une extrême attention aux détails et une allure de bourgeoise sans âge. S'il fallait lui en donner un, il aurait dit entre quarante-huit et… soixante ans, une fourchette assez large, il en convenait. Métisse d'une beauté très fine, elle portait une coiffure au bol arrêtée à mi-front, qui soulignait des yeux légèrement en amande, un collier de perles blanches et une robe de saison coupée sur mesure comme si elle devait sortir dans l'instant, et une taille moyenne qu'elle avait rehaussée de talons aiguilles de quatre à cinq centimètres. Ruben s'excusa de son intrusion à une heure aussi matinale – il était environ onze heures –, sans s'être annoncé au préalable, mais il n'avait aucun moyen de la prévenir, à moins de déposer un courrier auprès de la gardienne, ce qui aurait retardé le moment de la rencontrer. Il avait parlé d'un flot continu pour masquer sa gêne. La dame le mit tout de suite à l'aise :

« C'est toujours un plaisir de recevoir l'ami d'un ami. Avant d'aller plus loin, dites-moi plutôt comment vous vous êtes connus. »

Ruben lui raconta alors Buchenwald, sans s'arrêter sur les circonstances de leur arrestation, à son oncle et à lui, ni sur les difficiles conditions de détention. Il lui dit sa surprise de rencontrer le Dr John Nichols dans ce lieu, un homme très généreux, dont il avait beaucoup appris, des leçons de vie surtout. À l'heure où il parlait, il ignorait encore comment un citoyen américain avait pu y atterrir. L'expression « citoyen américain » arracha à la dame un sourire dubitatif que Ruben, tout à son propos, ne remarqua pas. Johnny lui avait dit, si jamais tu passes par Paris, je t'en voudrais de ne pas aller saluer mon amie Ida, enfin, madame Faubert.

« Oh, fit celle-ci avec un sourire plus radieux qui découvrit des dents soignées, vous pouvez m'appeler Ida. »

À son tour, le Dr Schwarzberg voulut savoir depuis combien de temps la poétesse connaissait Johnny, qui lui en avait dit le plus grand bien. C'était rare, surtout de nos jours, de trouver une telle disponibilité vis-à-vis de quelqu'un comme lui. Son ami avait même insisté : « En cas de pépin, n'hésite pas à lui en parler. » Ruben chercha en vain une trace de désapprobation sur les traits lisses de la dame, qu'aucune émotion n'était venue troubler. Elle l'encouragea plutôt à poursuivre son récit, elle aurait le temps de lui parler de Johnny.

Voilà, il était arrivé en France dans des circonstances particulières. Peut-être avait-elle lu dans les journaux les informations relatives au paquebot *Saint Louis* et aux mésaventures de ses passagers. Elle en avait entendu parler, et comment ! Depuis six ans, elle suivait avec inquiétude la montée du nazisme en Allemagne. Elle savait aussi pour le *Saint Louis*. Puis elle s'était tue pour le laisser continuer, mais Ruben ne sembla pas disposé à entrer dans les détails. La dame le nota et, au bout d'un moment, lui dit d'une voix très douce, malgré un timbre au départ rocailleux :

« Vous êtes juif ? »

Ruben eut l'air embarrassé. C'était la première fois depuis le départ d'Allemagne qu'on lui posait la question de façon aussi directe, mais la remarque ne semblait cacher aucune arrière-pensée, aucun préjugé, en tout cas. Cela avait été exprimé sur le ton de l'évidence, madame Faubert aurait pu ajouter « n'est-ce pas ? », comme si, parlant d'elle-même, elle eût dit : « Je suis une femme. » Le Dr Schwarzberg s'en rendit compte et répondit oui avec le même naturel, avant d'évoquer, non sans réticence, mais il savait ne pas avoir le choix s'il voulait paraître crédible, le débarquement raté à Cuba, l'asile provisoire en France, où il lui faudrait mettre à jour son dossier auprès du consulat des États-Unis, en y introduisant les éléments relatifs à son nouveau statut de réfugié. Quand il eut terminé, madame Faubert souhaita savoir s'il connaissait quelqu'un d'autre à Paris, à part la bande à Louis-Alexandre rencontrée la veille dans ce lieu de débauche qu'était le Bal Nègre ; et, à la réponse négative, où il logeait. Il lui dit avoir trouvé un petit hôtel tout à fait convenable dans le quartier breton de Montparnasse.

« Je sais ce que le mot ''petit'' signifie dans l'hôtellerie parisienne, fit la dame, on tombe plus souvent sur le pire. Quant au meilleur, sans vouloir vous offenser, je doute fort, tout médecin que vous êtes, que vous ayez les moyens de vous le payer longtemps. En un mot comme en cent, je crains que vous ne soyez descendu dans un taudis, peu conforme à votre rang.

– Ça ira, fit le Dr Schwarzberg, un peu surpris par le ton de nouveau direct, qui révélait une femme de caractère.

– Ça n'ira pas du tout. Je vous propose, si vous êtes d'accord, de vous héberger ici quelque temps.

– C'est trop, je ne peux pas accepter… Je ne voudrais pas déranger » bégaya Ruben, rougissant jusqu'aux oreilles.

Madame Faubert s'en aperçut, son visage s'illumina d'un grand sourire.

« Rassurez-vous, jeune homme, l'appartement est assez grand, vous n'aurez pas à craindre pour votre vertu. Et puis, je pourrais être votre mère, vous savez.

– Ce n'est pas ça », répondit Ruben encore plus gêné.

La dame rit à nouveau ; son rire était plus franc, juvénile, au point que Ruben finit par le partager. Après avoir retrouvé son sérieux, elle enchaîna :

« Quand je vous ai demandé si vous étiez juif, ce n'était pas par curiosité malsaine. Je l'imaginais bien, puisque vous veniez du *Saint Louis*, mais je voulais en avoir la certitude. »

Ces deux dernières années, élucida-t-elle, Haïti avait accueilli quelques dizaines de Juifs, venus de Pologne et d'Allemagne pour la plupart. Les informations récentes avaient amené le nouveau gouvernement à prendre des décisions radicales, en signe de désaveu officiel de la politique de ce monsieur Adolf. Trois semaines plus tôt, il avait publié un décret-loi permettant à tout Juif qui le souhaitait de bénéficier de la naturalisation *in absentia*. Rien n'empêchait le docteur de considérer l'opportunité, surtout que, avec une administration aussi paranoïaque que celle des États-Unis, le délai pour un visa de réfugié pouvait s'avérer très long. Au cas où l'information intéresserait le docteur, elle était disposée à en parler avec monsieur le ministre plénipotentiaire, poète lui aussi, dont elle s'enorgueillissait de faire partie des amis proches. Cela étant, elle lui devait la vérité jusqu'au bout : si le Dr Schwarzberg optait pour cette solution, il lui faudrait renoncer à sa nationalité allemande. En dehors de cas rarissimes, elle le savait, on ne renonce pas à sa nationalité de gaieté de cœur.

Pour Ruben, la question était réglée : hormis ses souvenirs d'enfant, d'adolescent et de jeune adulte, dit-il, plus rien, hélas, ne le rattachait à l'Allemagne. Il circulait désormais avec un titre de voyage délivré par le IIIe Reich, tamponné d'un grand J, pour Juif, à la première page. Et de toute façon, expliqua-t-il, ceux qui s'en allaient perdaient d'emblée leur citoyenneté, c'était une des conditions pour quitter le pays sain et sauf.

« Quelle horreur ! » fulmina madame Faubert, dont la nouvelle était venue réveiller la fibre patriotique. Son pays avait déjà déclaré la guerre trois fois à l'Allemagne, apprit-elle à son jeune hôte, ils n'hésiteraient pas à recommencer, s'il le fallait. La dame en parlait comme si elle était prête à aller se battre les armes à la main, en cas de conflit. « On ne traite pas des êtres humains, moins encore ses conationaux, de cette façon », dit-elle sans plus de retenue.

Surpris par tant de véhémence guerrière de la part d'une femme si raffinée, Ruben ne sut que répondre, à part le oui qu'il s'entendit bafouiller lorsque celle-ci réitéra sa demande à propos de l'obtention de la citoyenneté haïtienne. Tout bien considéré, avait-il si envie que ça de s'installer dans ce pays de cow-boys incultes capable de fermer ses frontières à un petit millier de personnes en danger de mort ? Et puis, vu les circonstances, cela nécessiterait sûrement du temps pour faire remonter son dossier de Berlin, et donc une attente plus longue que prévu à Paris. Il valait mieux saisir la balle au bond, la vie ne repasse pas les plats, aurait dit oncle Joe. Avec de la chance, il réussirait peut-être à convaincre la famille, Salomé et tante Ruth exceptées, de le rejoindre dans l'île caraïbe. Il y fait plus chaud qu'à New York, ce sera mieux pour leurs vieux os. La voix de madame Faubert vint l'arracher à ses réflexions :

« Voici un double des clés. Vous pouvez emménager cet après-midi si vous le souhaitez. Comme ça, la concierge ne manquera pas de colporter que j'entretiens un jeune amant », dit-elle dans un rire espiègle, avant d'ajouter :

« J'aurais besoin de la copie de votre titre de voyage et de votre diplôme de médecin. Je vais téléphoner de ce pas à mon ami le ministre plénipotentiaire. »

Alors que le Dr Schwarzberg tout heureux s'apprêtait à prendre congé pour aller récupérer sa valise, madame Faubert lui dit :

« À mon tour de vous parler de mon compatriote Jean-Marcel. »

Le regard interdit de Ruben l'avertit de sa méprise.

« Rassurez-vous, nous parlons bien de la même personne. »

Pour madame Faubert, au-delà de son courage et de sa sympathie, Johnny avait surtout l'art de se fourrer dans des embrouilles sans nom. Qui saurait jamais comment il s'y était pris pour se retrouver là-bas ? fit-elle, un voile de tristesse dans la voix. Quant à son endurance au mal, il la tenait de son éducation et de sa culture haïtiennes : « Notre peuple a hélas été habitué au pire depuis le début de son histoire. » Le Dr Schwarzberg ouvrit de grands yeux incrédules, se demandant s'il avait bien compris. À la vérité, raconta la poétesse, le vrai nom de Johnny était Jean-Marcel Nicolas.

« Dans notre pays, les gens se donnent des surnoms à tire-larigot. Au fil du temps, on finit par confondre le surnom avec le prénom réel et affubler son propriétaire d'un autre sobriquet. C'est tout à fait normal d'appeler les Jean, John, puis Johnny, les Philippe, Pipo ou Phil, etc. »

Elle n'aurait su dire à partir de quel moment Jean-Marcel s'était glissé dans la peau de Johnny l'Américain. En tout cas, avec son don pour les langues, cela lui fut facile de donner le change, de faire chavirer la tête aux petites Blanches des boîtes de jazz à la mode pour qui le Noir états-unien offre une plus large garantie d'exotisme qu'un Caribéen parlant français. Peu de gens d'ailleurs étaient au courant de cette métamorphose. Elle connaissait une partie de la famille de Jean-Marcel depuis Port-au-Prince, dont un frère qui vivait ici à Paris. À ce qu'il paraît, leur ami avait laissé deux enfants en bas âge au pays ; allez savoir s'il leur versait une pension alimentaire ou pas. « Les mâles haïtiens sont des irresponsables. » Elle s'était bien gardée de le trahir auprès de leurs compatriotes parisiens. Elle n'aurait pas dû lui en parler d'ailleurs, mais elle savait le Dr Schwarzberg, en bon disciple d'Esculape, capable de garder un secret, fit-elle, retrouvant son rire du début.

« La légation d'Haïti, ici ou à Berlin, ne pourrait-elle pas intervenir en sa faveur, demanda Ruben ? Votre pays n'est pas en guerre avec le IIIe Reich. Je connais le lieu de détention, le numéro de matricule 44451, et tout.

— J'en parlerai à monsieur le ministre plénipotentiaire. »

Voilà comment le Dr Schwarzberg apprit la vérité sur Johnny l'Américain alias Jean-Marcel Nicolas. Il n'en finissait pas de découvrir cet homme qui, du fond de la déchéance humaine où sans doute il croupissait encore, avait réussi à lui fournir un toit à Paris, et peut-être une citoyenneté, cet homme dont le rôle, dans la grande comédie du monde, consistait à se faire passer pour Américain. Avait-il honte de son pays natal ?... Telles sont les questions que se posait Ruben lorsqu'il quitta enfin l'appartement de madame Faubert et s'engouffra dans le métro pour aller récupérer ses affaires à l'hôtel miteux de Montparnasse. Il était treize heures passées et il avait refusé, malgré la bonne odeur qui lui arrivait de la cuisine, l'invitation à déjeuner de son amphitryon, préférant savourer en solitaire sa double chance.

3

L'épouse du diplomate

Ses bagages posés au quatrième étage de l'appartement de la rue Blomet, le premier réflexe du Dr Schwarzberg fut d'envoyer un télégramme à ses proches, avant de leur écrire plus longuement pour finir de les tranquilliser. Il informa Silke de son installation provisoire à Paris, en raison d'une avarie, le temps de pouvoir repartir pour l'Amérique sans préciser s'il s'agissait de Cuba ou des États-Unis. Les journaux allemands n'avaient peut-être pas relayé, ou très peu, les péripéties du *Saint Louis*, le savoir dans la capitale française la rassurerait de toute façon. Et si la lettre à la famille fut plus détaillée, il força moins sur les bobards. Depuis le temps, celle-ci devait avoir appris son odyssée, aussi bien par la presse que par oncle Joe, dont il n'avait plus eu de nouvelles et qui, géographiquement plus proche, les aurait déjà eus au téléphone. Toutefois, pour ne pas trahir le pacte avec son oncle – raconter Buchenwald à la famille seulement face à face –, il expliqua l'accueil agréable au-delà de toute espérance à Paris grâce à un ami rencontré sur… le paquebot, qui lui avait laissé un mot pour son hôtesse et qui, lui-même, pour des raisons d'opportunité, avait choisi la Grande-Bretagne. En tout cas, son hôtesse était une femme d'une grande générosité : « Tu ne devineras jamais, sœurette, écrivit-il à Salomé, c'est une compatriote de l'auteur de *De l'égalité des races humaines*. » Fille d'un ancien président de la République, elle était, en plus, une poétesse qui avait pignon sur rue à Paris et y tenait salon. En soulignant l'activité de madame Faubert, il savait qu'il mettrait sa mère de son côté. Et tant qu'il y était, il en rajouta sur les lumières de la ville, la plus belle qu'il lui ait été donné de voir, plus que Berlin et Cracovie réunis. Bref, il édulcora quelque peu la réalité.

Son récit fit mouche, au point que sa mère mit de côté pour une fois ses inquiétudes et l'envia d'être accueilli dans la ville phare de l'humanité. Comment imaginer un instant, dit-elle, que l'Allemagne eût pu rivaliser de génie architectural et urbanistique avec la France ? (Elle ne s'était jamais faite à l'esprit germanique, malgré les deux décennies passées à Berlin.) Quand les Parisiens construisaient Notre-Dame, les Prussiens mangeaient encore du cochon cru et dormaient sur la paille. Ruben devait garder confiance et prier : « Iahvé a un dessein pour chacun d'entre nous. » De même qu'Il avait fait sortir son peuple du pays d'Égypte, Il les avait arrachés, Joshua et lui, des griffes du petit caporal et bientôt, aie confiance, mon fils, Il réunirait la famille. Qu'il profite de son séjour dans la plus belle ville du monde pour aller à l'Opéra. « Mais pas de french cancan, lever les gambettes nues au ciel et exhiber ses fesses en public, ce n'est pas de l'art, mon fils. »

Sans le vouloir, le Dr Schwarzberg allait appliquer les consignes maternelles et profiter de la capitale française au-delà de toute attente. Lorsque madame Faubert téléphona aux bureaux de la légation d'Haïti, la secrétaire lui laissa entendre que Son Excellence avait été rappelée d'urgence au pays pour consultations. Et la saison estivale étant là, il y avait de fortes chances qu'il y reste pour les vacances et ne soit pas de retour avant le mois de septembre. La nouvelle prit au dépourvu Ruben, qui se voyait déjà acquérir la citoyenneté haïtienne et se débarrasser de ce statut d'apatride qu'il portait telle une marque infâme. Ayant remarqué sa déconvenue, la poétesse entreprit de lui redonner la bonne humeur :

« Rassurez-vous, tout sera résolu au retour du ministre plénipotentiaire. C'est juste une question de temps avant que vous ne deveniez citoyen haïtien, placé sous la protection des autorités de notre pays. Sous peu, vous ne serez plus le Juif de personne, à part de vous-même. »

En attendant, elle invita son jeune hôte à prendre son mal en patience et à sortir à la découverte de la ville : « Paris vaut bien une messe. » Elle aussi s'apprêtait à quitter la capitale, elle passerait l'été, comme tous les ans, dans sa résidence secondaire de Deauville. La température y était clémente en cette période de l'année et lui rappelait celle des hauteurs de Port-au-Prince : Thomassin, Kenscoff, Furcy, Montagne Noire… des lieux de villégiature dont le docteur jouirait bientôt. Bien entendu, il pouvait rester dans l'appartement en son absence. Avant de partir, elle le confia au premier secrétaire de la légation d'Haïti, un jeune poète plein d'avenir du nom de Roussan Camille. À ces mots, Ruben ne put réprimer un sourire, repensant aux propos de Louis-Alexandre, le soir de leur rencontre au Bal Nègre : « Tous les lettrés haïtiens sont poètes. »

« Faites-lui les honneurs de Paris, dit madame Faubert à Roussan, qu'elle avait toujours vouvoyé. Évitez les bouges, la Ville lumière a mieux à offrir », fit-elle, les épaules recouvertes d'un carré Hermès, tout en cherchant des yeux son siège dans le wagon première classe du train en partance pour Deauville.

Madame Faubert partie, Paris allait ouvrir grand ses portes et ses mystères au jeune Dr Schwarzberg, dans un maelström de sons, de saveurs et de sensualité, sous la conduite avertie de Roussan Camille. Durant cet été 1939, ça swinguait de partout dans la capitale française, les terrasses des cafés, les rues débordaient de filles au décolleté et au rire vertigineux, dont les jupes arrêtées au-dessous du genou dévoilaient des jambes belles de tant de promesses. Ruben s'enfonça avec d'autant plus d'appétit dans ce tourbillon de vie qu'il sortait d'une longue période marquée par la drôle de situation à Berlin, son travail plus que prenant, la rupture avec Silke… Trop occupé à mordre dans sa nouvelle vie, il lui faudrait du temps pour se rendre compte, bien des années plus tard, qu'elle fut une parenthèse enchantée, à mille lieues de la catastrophe qui piaffait d'impatience aux portes de la France et de l'Europe.

À peine plus âgé que le Dr Schwarzberg, Roussan l'avait d'emblée tutoyé. Ce grand amateur des nuits parisiennes portait mince, élégant et beau, costard cravate en toute occasion, et ne se départait jamais d'un sourire énigmatique qui faisait des ravages auprès du beau sexe, tout âge confondu. Même la fillette de la secrétaire de la légation envoyait valdinguer sa mère et ses jouets dès qu'elle voyait pointer le bout de son chapeau pour courir se jeter dans les bras de tonton Roussan. Ruben n'aurait pu trouver meilleur guide pour partir à la conquête de la capitale française. Avec lui, l'apprentissage était permanent, on passait avec une égale aisance de l'art de danser la rumba à celui de draguer une Parisienne, de la lutte des classes à la poésie la mieux troussée.

La première leçon débuta dans une cave à jazz de Montmartre où jouait le Quintette du Hot Club de

France, avec Django Reinhardt à la guitare et Stéphane Grappelli au violon. Les deux compères avaient été invités, ce soir-là, par le pianiste haïtien Maurice Thibault qui y avait ses entrées et les avait abandonnés, une fois le seuil franchi, pour plus galante compagnie. Malgré la chaleur étouffante, le club était bondé en cette fin de semaine. Roussan évoluait en terrain connu, à en juger par le nombre de filles qui s'arrêtaient pour le saluer ou l'inviter à danser, mais le poète diplomate semblait plutôt d'humeur… professorale. En matière de jazz, il connaissait un rayon aussi large que Jürgen, le beau-frère de Ruben, et était au courant des toutes dernières nouveautés. Ce soir-là, il évoqua le Benny Goodman Quartet avec le Dr Schwarzberg. Formé deux ans plus tôt en étant d'abord un trio, le groupe, qui jouait un swing du feu de Dieu, réunissait désormais deux Noirs, Teddy Wilson et Lionel Hampton, son fondateur, un petit Juif de Chicago dont il portait le nom, et un autre Blanc, un certain Gene Krupa, un enragé de la batterie.

Roussan parlait avec une volubilité sans faille tout en tirant sur son éternelle cigarette, dont la fumée venait voiler ses traits d'une douceur quasi féminine. Il semblait de ces personnes qui ont peur du silence et ont besoin de l'envahir de mots pour se rassurer. Mais, contrairement aux autres qui le remplissent de creux, lui savait le meubler de paroles belles et intelligentes, comme sa poésie. Ruben avait trouvé l'histoire du Benny Goodman Quartet, mine de rien, très politique. Le Juif et ses comparses noirs, c'était tout ce que le petit caporal abhorrait, et il avait tenu à les associer dans les lois de Nuremberg : « N'est pas de sang allemand celui qui a, parmi ses ancêtres, du côté paternel ou du côté maternel, une fraction de sang juif ou de sang noir. » Roussan vint le tirer de ses réflexions en le prenant par l'épaule pour l'amener au bar où les attendaient du cognac Napoléon, et les yeux pétillants de promesses de deux authentiques représentantes de la Ville lumière.

Au lendemain d'une nuit de rêve dans la piaule de l'une d'entre elles – Ruben n'avait pas osé l'inviter dans l'appartement de la rue Blomet –, Roussan lui avait fait miroiter des jours entiers plus étoilés encore dans les bras de ses compatriotes. Les Parisiennes, ce n'était qu'une mise en bouche par rapport à ce qui l'attendait en Haïti.

« Une fois là-bas, tu verras, les Haïtiennes te feront perdre ton Je-crois-en-Dieu et oublier jusqu'à ta sainte mère. Il y en a de toutes les couleurs et pour tous les goûts. Après, je te mets au défi de trouver meilleure amante sur toute la surface de la Terre. »

Et si Ruben, impatient, lui demandait quand est-ce qu'il pourrait aller goûter sur place à ces fruits défendus, il avait toujours les mots pour faire taire son inquiétude :

« On a la solution, mon gars. Dès le retour du ministre Laleau, tu seras un Haïtien de plus. »

L'Allemand en Ruben avait du mal à cerner cette insouciance que Roussan partageait avec beaucoup de ses compatriotes, une approche si frivole de la vie que même hier semblait incertain. En attendant, entre le poète, Louis-Alexandre et d'autres, les Haïtiens de Paris sem- blaient décidés à rendre son séjour le plus léger possible. En retour de tant d'amabilité, le Dr Schwarzberg leur avait imposé des consultations gratuites, jusqu'à devenir le médecin attitré de la petite communauté. Ce qui le faisait passer d'une table à l'autre, d'un salon à un autre, où l'on déclamait de la poésie, où des bals s'improvisaient à la moindre note de musique. À force, il était parvenu à mettre de côté sa réserve toute teutonne et à s'essuyer les pieds, selon l'expression des Haïtiens pour évoquer le fait de danser, plus souvent qu'à son tour. Dansait-il selon l'orthodoxie caribéenne ? Il aurait été bien en peine de le dire. N'empêche, il n'hésitait plus à se jeter, aidé parfois d'un généreux verre de rhum, dans cet exercice nouveau pour lui. Le plus dur restait de bouger son bassin dans ce mouvement giratoire à même de faire renoncer à ses vœux la novice la plus convaincue, qu'il les voyait exécuter, homme comme femme, avec un naturel dénué de toute vulgarité. Parfois, il arrivait à ses amis d'oublier sa présence et de se lancer dans de longues causeries en créole, ses premières leçons indirectes, où il était question de politique et de développement du pays, avant de s'apercevoir de leur méprise et de le réintégrer dans la conversation par un « tu nous suis, Doc ? ». Et l'un deux se mettait debout soudain, comme piqué par un insecte géant, les mains tendues vers une partenaire pour un tour de piste loin du sérieux de la conversation.

C'est au cours d'une de ces fêtes improvisées qu'une Haïtienne en âge d'être sa tante fit une irruption flamboyante dans la vie du jeune médecin, sous le regard complice de Roussan, dont l'amitié allait vers l'une et l'autre. Marie-Carmel Gutierrez sortait de la quarantaine, ou entrait dans la cinquantaine – Ruben n'oserait jamais demander. Épouse d'un diplomate dominicain qui la délaissait, l'Haïtienne trouva en la personne du jeune médecin réservé et distingué un fort bel instrument de vengeance à l'égard du mari volage et le moyen de mettre un terme à sa chasteté forcée. Quant à Ruben, ce fut pour lui la découverte de la plénitude sexuelle auprès d'une amante qui ne manquait ni de fantaisie ni d'appétit, et qui savait l'entraîner dans des joutes dont sa jeunesse sortait lessivée, avec l'envie toutefois de renouveler l'expérience à la première occasion.

Marie-Carmel savait jouer de son corps comme d'un instrument de musique, en tirer les notes les plus vibrantes, des accords dont Ruben lui-même ignorait que ses sens étaient porteurs. Elle le barrait tel un bateau en rodage, tantôt avec fermeté, tantôt tout en douceur, toujours avec maestria, l'entraînant dans des affrontements hardis avec des vagues géantes qui précipitaient le cœur du jeune Teuton dans des cavalcades inédites, avant de le ramener vers une mer moins démontée, le temps de reposer la carcasse. Malgré l'âge et un physique plutôt plantureux, elle faisait montre d'une souplesse étonnante, pour le plus grand plaisir de Ruben, à la fois spectateur et acteur de ces jeux érotiques où, jour après jour, son imagination apprenait à se mettre au diapason de celle de sa maîtresse, dont les fesses pleines s'écartaient tel un Styx vorace avant de se refermer avec délicatesse sur son sexe, qui en ressortait au bout de quelques minutes pour disparaître dans sa bouche tour à tour goulue et câline, ralentissant ou accélérant la montée de l'extase. À son contact, ses mains de médecin apprirent, puis inventèrent des partitions inédites qu'elles exécutaient en harmonie avec sa langue pour explorer l'opulence des seins, le grain dur des tétons, le pubis charnu qui hésitait entre la rugosité des poils et la soie ruisselante d'aise à peine s'aventurait-on à l'entrée des grandes lèvres, lui arrachant une musique capable de voyager du grave à l'aigu, en quête des nuances les plus stimulantes pour son partenaire. Et quand venait enfin l'orgasme, qu'elle semblait convoquer à souhait, surgissait alors une explosion de rires comme autant de cyclones, de séismes et de volcans en éruption, un concentré en somme de la nature caribéenne, qui faisait de chaque instant passé ensemble une fête des sens.

Le temps d'un été, en plus de parfaire l'éducation sexuelle du jeune Dr Schwarzberg, Marie-Carmel l'introduisit aussi à la réalité gastronomique de l'île, mélange savoureux de l'art culinaire français, des cuisines africaines, espagnole et taïno.

« Aussi épicé que le feu qui brûle là », fit-elle, en prenant la main de son jeune amant et la plaquant sur son pubis, avant d'éclater de ce rire frais qui savait effacer toute trace de timidité en lui.

« Il n'y a pas à dire, vieux frère, en peu de temps, tu as su pénétrer en profondeur le sens de l'hospitalité haïtienne », se moqua Roussan.

Le visage de Ruben, peu habitué à parler de sexualité de manière aussi directe, qui pis est avec un homme, avait viré rouge cramoisi.

Au retour de madame Faubert et de Son Excellence le ministre plénipotentiaire, la situation se précipita pour Ruben, mais aussi pour l'Europe et bientôt le reste du monde. Le dimanche 3 septembre 1939, deux jours après l'invasion de la Pologne, son pays natal, par l'Allemagne, son pays d'adoption, la France, son pays d'accueil, prit enfin son courage à deux mains et, sur le coup de dix-sept heures, par la voix du président du Conseil, déclara la guerre au IIIe Reich. De toute façon, pensèrent ses stratèges et la population avec eux, l'Hexagone est à l'abri derrière la ligne Maginot. Une semaine plus tard, le lundi 11 septembre, accompagné de mesdames Faubert et Gutierrez, le Dr Schwarzberg partit remplir sa déclaration d'intention de naturalisation à la légation d'Haïti. Il fut reçu par le ministre plénipotentiaire en personne, qui tenait à saluer le protégé de sa très chère amie, fils de la vaillante Pologne à laquelle l'héroïque Haïti devait au moins une ligne de son acte d'indépendance.

À la vue de l'homme au teint clair, aux cheveux gominés ramenés vers l'arrière et à la moustache taillée sur le modèle de celle… du petit caporal, Ruben recula d'instinct, avant de réussir à masquer sa répulsion et à serrer la main que lui tendait le diplomate. À avoir le choix, il lui aurait dit qu'il se sentait plus teuton, berlinois à la vérité, que polack, une appellation ramenée de sa fréquentation assidue des parigots haïtiens. Mais ce n'était ni le moment ni le lieu d'entamer une polémique sur un sujet aussi sensible, d'autant que le ministre, dès son retour, s'était occupé de son dossier en priorité. Et puis, Ruben s'était rappelé le propos de Johnny, enfin, Jean-Marcel, la nuit de son arrivée à Buchenwald : « Le passé d'un individu, c'est comme son ombre : on le porte toujours avec soi. Il faut apprendre à vivre avec, et à s'en servir pour avancer. »

Ce jour-là, en présence de ses deux témoins, de Léon Laleau et de Roussan Camille, le Dr Ruben Schwarzberg prêta serment de fidélité à sa nouvelle patrie, après avoir juré de « renoncer pour toujours à toute soumission, à tout prince étranger, potentat, souverain et État ». Il déclara aussi n'être ni « un anarchiste, ni un communiste, ni un polygame, ni un croyant à la polygamie ». Au moment de signer l'acte, la Pologne et l'Allemagne ne lui effleurèrent pas le moins du monde l'esprit. S'il pensa à quelque chose, ce fut aux humiliations qu'il laisserait derrière lui, à sa famille aussi, dont les étreintes se rapprochaient. Le ministre plénipotentiaire lui serra la main, une poignée franche, le regarda droit dans les yeux et dit sur un ton qui se voulut solennel : « Bienvenue dans votre nouvelle patrie, compatriote. » Il reviendrait chercher son certificat de naturalisation et son passeport le surlendemain. Même sans aucun document officiel en poche attestant de sa nouvelle citoyenneté, Ruben se sentit un membre à part entière de ce pays qu'il attendait encore de connaître.

Voilà comment le matin du 11 septembre, alors que la guerre menaçait une nouvelle fois aux portes de l'Europe, le Dr Ruben Schwarzberg adopta sa troisième nationalité depuis sa naissance à Łódź un quart de siècle plus tôt. Tandis que le ministre-poète entraînait les deux dames dans son bureau, les bras entourant les épaules de l'une et la taille de l'autre, Roussan le prit par le coude et l'amena vers le sien. Et là, le premier secrétaire le félicita avec un large sourire avant de l'accueillir sur sa poitrine pour une accolade amicale. L'ex-Teuton avait eu tout l'été pour s'habituer aux attouchements incessants de ses nouveaux compatriotes. Il lui semblait loin, le temps où, à la moindre tape à l'épaule ou sur la cuisse, il se rigidifiait comme si l'on avait tenté de le violenter. Aussi accepta-t-il avec la même chaleur l'étreinte de son ami.

« Ne t'inquiète pas pour cette histoire de polygamie, fit le poète. Tu pourras toujours prendre des maîtresses, comme en Occident, ça te fera des responsabilités en moins. »

Ruben sortit de la légation sur son nuage, malgré le bruit des bottes qui se rapprochait des frontières de l'Hexagone. D'ici là, se dit-il, il aurait le temps d'embarquer pour sa nouvelle patrie. Le ciel brillait beau en ce lundi de la reprise des activités, après l'engourdissement du mois d'août où il avait pu vivre la ville tout son saoul. Il décida de rentrer à pied à la rue Blomet. Il en avait pour trois quarts d'heure de marche, une petite trotte, mais ça ne lui faisait pas peur. Chemin faisant, il enverrait un télégramme à la famille pour lui annoncer la bonne nouvelle. Lorsqu'il traversa la Seine sur le coup de onze heures, Paris sous le soleil lui parut plus rayonnant qu'à l'arrivée deux mois et demi auparavant, pas loin de mériter son surnom de Ville lumière.

4

Vos papiers, s'il vous plaît !

Le mercredi 13 septembre 1939, le Dr Schwarzberg quitta l'appartement de la rue Blomet sur le coup de neuf heures trente, après s'être offert un abondant petit déjeuner en compagnie de son hôtesse. « La meilleure façon de démarrer la journée », disait madame Faubert qui n'aurait raté pour rien au monde ce premier repas où voisinaient croissants et brioches venus le matin même de la boulangerie du quartier, confitures diverses et variées, beurre salé, une habitude ramenée d'un séjour en Bretagne, à laquelle elle n'était pas prête à renoncer, œuf à la coque, ni trop dur ni trop moelleux, salade de fruits frais, jus d'orange pressée, café corsé, fort sucré comme au pays, et thé parfumé, une attention spéciale pour son protégé, qu'elle tenait à associer à ce moment sacré :

« Sinon, nous n'aurions plus l'occasion de nous voir, fit-elle. Vous n'êtes pas obligé de marcher dans les pas de ce dépravé de Roussan, vous savez. »

Une allusion à peine voilée, mais dénuée de reproche, aux rentrées tardives de Ruben et à ses escapades trouvillesques avec sa maîtresse, lesquelles, en l'absence de son rival officiel de Paris, se prolongeaient parfois trois jours de suite : Marie-Carmel n'avait pas d'enfant, et les deux amants ne travaillaient ni l'un ni l'autre. Madame

Faubert ne lui en avait jamais touché mot, mais Ruben se doutait bien qu'elle était au courant de leur relation, par l'entremise de Marie-Carmel elle-même, de Roussan ou de quelqu'un d'autre. Tout se savait dans la petite communauté, les mille précautions des deux tourtereaux pour rester discrets n'y changeaient rien. Et puis, tout le monde s'en fichait comme d'une guigne, plus encore parmi les hommes, pour qui cocufier un Dominicain, qui n'avait même pas été foutu de donner une descendance à sa bourgeoise, ça ne comptait pas, ce n'était pas comme planter des cornes à un compatriote. Ce qui, en la matière, passerait pour de la haute trahison, susceptible de bannissement de la communauté.

Ce jour-là, Ruben s'était contenté de sourire, de profiter de la nourriture et de la compagnie de la poétesse, dont il se demanda comment elle s'y prenait pour présenter aussi resplendissante de si bon matin. Ils parlèrent de tout et de rien durant le repas : du recueil d'Ida Faubert, *Cœur des îles*, qui venait de paraître et à propos duquel le jeune homme ne tarissait pas d'éloges, mettant à mal la modestie de la dame ; de la prochaine installation du Dr Schwarzberg en Haïti. Son hôtesse lui promit des contacts de toute confiance pour débuter sa nouvelle vie là-bas, « ce n'est jamais évident d'arriver seul dans un pays étranger, enfin, plus vraiment, c'est le vôtre maintenant ». Ils évoquèrent aussi l'invasion de la Pologne, la déclaration de guerre du Royaume-Uni et de la France à l'Allemagne, les hostilités qui risquaient d'embraser l'Europe, voire le reste de la planète. Madame Faubert paria sur le fait que les gouvernements ne se laisseraient pas entraîner dans un deuxième conflit mondial, une vingtaine d'années seulement après le premier, « ce serait le comble de l'irresponsabilité », encore que les politiques n'étaient pas à une irresponsabilité près. Ruben, lui, insista sur la mégalomanie furieuse du petit caporal, il était bien placé pour le savoir :

« Cet homme est un chien enragé, il est capable de tout. » La première fois qu'il se laissait aller à une opinion aussi tranchée sur ce qui se passait là-bas.

« Parlons de sujets plus gais, coupa court la poétesse. Aujourd'hui est un grand jour pour vous, ne laissons pas ce triste personnage vous le gâcher. »

Le Dr Schwarzberg était donc sorti aux alentours de neuf heures trente, prendre le métro pour aller récupérer son certificat de naturalisation et son passeport à la légation d'Haïti. Pendant le trajet, il joua à deviner, derrière le visage fermé, le nez plongé dans *Le Figaro* ou *Le Petit Parisien* pour certains, la vie de ses voisins du compartiment deuxième classe qu'il persistait à prendre en dépit des recommandations de sa logeuse de voyager en première. Quand il en fut fatigué, il repensa au concert de Joséphine Baker auquel il avait eu la chance d'assister la veille au Bal Nègre, entraîné par un Roussan toujours au courant des bons tuyaux grâce à son réseau d'amitiés nocturnes. La prestation de la diva états-unienne l'émut encore plus que celle de la Marlene, lui faisant venir la chair de poule lorsqu'elle avait chanté « Haïti », accompagnée d'une partie de la salle :

> *Ah ! Qui me rendra mon pays*
> *Haïti*
> *C'est toi mon seul paradis*
> *Haïti [...]*
> *Oui ! Mon désir, mon cri d'amour*
> *Haïti.*

Il était remonté à la surface à l'arrêt Avenue-de-Villiers, toujours d'humeur guillerette lorsque, à une cinquantaine de mètres de la légation, la silhouette de deux policiers le fit rebrousser chemin, comme s'il avait vu le diable ou le petit caporal en personne – ça revenait au même –, et accélérer le pas. Jusqu'à la fin de ses jours, il continuerait de se demander pourquoi bon Dieu de bon sang il avait eu ce réflexe stupide. Il ne se trouvait plus en Allemagne ; en route vers sa nouvelle vie, il pensait avoir laissé tout ça derrière lui. Mais on ne se débarrasse pas si facilement de son passé, il aurait cru entendre Johnny. S'étant aperçus de la manœuvre, les deux agents l'avaient coursé tel un vulgaire voleur d'oranges au marché des Halles. Leurs coups de sifflet tonitruants alertèrent les passants, qui se retournèrent, intrigués, les histoires de gendarme et de voleur font toujours recette auprès des badauds. Le Dr Schwarzberg n'avait pas couru, par peur de se faire montrer du doigt comme le coupable désigné et d'aggraver son cas auprès des forces de l'ordre. Il ralentit, sans s'arrêter pour autant ; les deux hommes eurent vite fait de le rattraper. Arrivés encore tout essoufflés à sa hauteur, le premier mot des gardiens de la paix fut pour lui demander : « Vos papiers, s'il vous plaît. » Son français chancelant, doublé de bégaiement sous le coup de l'émotion, le plaça d'emblée dans la peau du suspect. Voilà comment, avant même d'avoir pu s'expliquer, le Dr Ruben Schwarzberg s'était retrouvé dans les locaux vétustes du commissariat le plus proche.

Et là, les deux agents – un grand escogriffe au visage vérolé, à l'air débonnaire, et un petit râblé nerveux, dont la ceinture peinait, sous le poids de l'arme de service, à garder le pantalon à sa taille – examinèrent son titre de voyage sous toutes les coutures. L'un d'eux tenta de voir si la photo collée sur le document n'était pas venue remplacer celle de quelqu'un d'autre, si le tampon n'avait pas été falsifié. Dans le même temps, ils le bombardaient de questions, dans un précipité de paroles que le Dr Schwarzberg eut parfois du mal à saisir. À leurs yeux, il y avait trop d'incohérence dans la situation de ce monsieur au nom à coucher dehors : un statut de réfugié en France, un document d'apatride émis en Allemagne, une naissance en Pologne et un délit de fuite… Sans compter, circonstance aggravante, son français hésitant.

« D'abord, pourquoi ce J en grand caractère à la première page ? interrogea le petit excité.

– C'est l'abréviation de *Juden*, ''Juif'' en français, traduisit Ruben.

– La police de la République fait pas d'politique, dit un troisième larron, le sous-brigadier de service, dont l'expertise fut sollicitée. Juif ou pas Juif, il s'agit d'un ressortissant d'un pays ennemi. Ça arrange pas son affaire à Herr Machin, hein.

– Pas du tout, chef, fit le grand escogriffe.

– Et qui c'est qui nous dit qu'c'est pas un sous-marin nazi sous couvert d'apatride ? Paraît qu'y z'ont réussi à s'infiltrer partout en Europe, même au Vatican. »

C'était l'expert qui parlait. Comment pouvait-il être agent d'un régime dont il était la première victime ? s'insurgea Ruben. Mais personne ne fit cas de la question qu'il avait réussi à formuler à grand-peine. Les trois hommes avaient déjà tourné le dos et continuaient leur conciliabule à voix haute, comme s'il avait été absent ; pire, transparent. Lorsque, enfin, ils revinrent vers lui, Ruben eut beau déclarer qu'il n'était plus citoyen allemand, mais apatride comme le prouvait son titre de voyage ; à vrai dire, au jour d'aujourd'hui, il était haïtien, enfin, pas tout à fait, il se rendait justement à la légation d'Haïti pour retirer son certificat de naturalisation et son passeport… rien n'y fit. Il eut plutôt le sentiment de s'enfoncer.

L'expert fit remarquer aux deux autres que Tahiti était une colonie française, il ne pouvait donc exister une quelconque légation tahitienne à Paris. Preuve que le gugusse les prenait pour des nouilles. Avaient-ils une tête de gogol ?

« Avons-nous une tête de gogol, hein ? fit-il en prenant ses collègues à témoin.

– Pas du tout, chef », répondit le petit nerveux.

Le sous-brigadier parlait avec un accent de titi parisien à couper au couteau, qui tranchait avec le chantonnement méditerranéen de ses collègues. Il laissait même l'impression de forcer sur l'argot, comme pour éviter d'être compris par le prévenu.

Le Dr Schwarzberg intervint néanmoins, avec son français toujours aussi hésitant et un phrasé de plus en plus haché, signe d'un agacement grandissant qu'il essayait de maîtriser. Il parvint à leur dire que c'était Haïti, et pas Tahiti, que ce pays existait bel et bien, c'était l'ex-colonie française de Saint-Domingue. Il avait gagné son droit d'existence en passant une raclée à des vétérans de l'armée napoléonienne, avec à leur tête le propre beau-frère du Premier consul, puis le fils Rochambeau, ancien combattant sous les ordres de son père à la guerre d'Indépendance des États-Unis. Cela lui était sorti comme ça, sans doute sous le coup de l'énervement qu'il n'avait plus réussi à contrôler, ou sous l'emprise d'un esprit vaudou facétieux, en tout état de cause, comme un petit plaisir qu'il eût voulu s'accorder, histoire de se venger des trois comparses. Ce qui, bien sûr, n'arrangea pas son cas.

L'expert rétorqua, hors de lui, que l'armée de Napoléon n'avait perdu aucune guerre avant Waterloo, qui n'était même pas une vraie défaite, à la loyale, puisque l'Empereur avait été trahi. Sinon, il n'aurait fait qu'une bouchée de ces bouffeurs de frites, de choucroutes et de *fish and chips*, sans compter ces fumeurs de chanvre de Hollandais, regroupés en coalition contre lui. Qu'il révise ses livres d'histoire ! Et si son Haïti existait et avait été une colonie, c'était un pays de nègres. Il était impensable, hurla-t-il à faire trembler les murs du commissariat, qu'une bande de moricauds, de malblanchis, aient pu faire mordre la poussière à l'armée la plus puissante du monde. Libre à lui s'il tenait à être ressortissant d'un tel pays, dans ce cas, il allait devoir présenter son permis de résidence. On avait beau être une terre d'accueil, la France n'était pas une savane, n'en déplaise à monsieur, où le premier Tahitien allemand venu pouvait entrer se balader à sa guise.

« Je sais pas comment ça se passe chez vous, mais il y a des lois en France, monsieur ! »

Pendant la passe d'armes, les deux autres larrons avaient du mal à cacher leur fierté devant l'érudition et le sens de la répartie de leur supérieur, qui ne s'en laissait pas conter et savait défendre l'honneur de la France face au Fritz. Ayant retrouvé un peu de son calme, le Dr Schwarzberg non plus ne se laissa pas démonter et rétorqua que, si messieurs les agents de la police républicaine le souhaitaient, ils pouvaient vérifier son propos en consultant le bottin. Ce pays existe, c'est là qu'il se rendait, enfin, à la légation, quand ses deux collègues l'avaient arrêté. C'était pas à un prévenu, étranger qui pis est, de leur dire ce qu'ils avaient à faire, reprit l'expert. Ils avaient pas d'ordre à recevoir de quelqu'un qui savait pas s'exprimer correctement en français. Et puis, c'était de sa faute si les collègues l'avaient appréhendé, ils faisaient leur devoir.

« Si on s'barre à la vue d'un agent d'l'ordre, c'est qu'on a pas la conscience tranquille, qu'on a que'que chose à s'reprocher. Z'avez intérêt à collaborer, si vous voulez qu'on soit compréhensif. »

Il ne s'était pas enfui, répondit le Dr Schwarzberg, il avait rebroussé chemin : « Nuance », un mot appris des lèvres de Johnny, quand celui-ci voulait carotter quelqu'un.

« V'là-t-il pas que le boche veut nous apprendre à causer français mainnntenang », s'indigna le petit râblé.

Il venait de se rendre compte, dit le Dr Schwarzberg, qu'il avait oublié quelque chose à la maison. L'expert lui demanda alors ce qu'il avait oublié de si précieux, vu qu'il avait ses papiers de réfugié et son passeport d'apatride.

« La photocopie de mon diplôme de médecin.

— De médecin, dites-vous ? C'est ça, mon cousin est le roi d'Angleterre, et mon cul, c'est du poulet. Alors, c'est quoi qu'il a oublié, le monsieur ? gueula-t-il. C'est quoi ? Il a perdu la mémoire, Herr Machin ? »

Ruben aurait aimé à ce moment-là avoir le toupet d'un oncle Joe, le sang-froid et l'audace d'un Johnny. Mais il fut incapable de répondre, alors que la question du sous-brigadier, suite logique à sa réponse précédente, lui pendait au nez. C'était comme s'il avait tendu lui-même le bâton pour se faire battre. Cela aurait été tellement plus simple de leur expliquer comment il avait vécu en Allemagne, de la Nuit-sans-nom jusqu'à la déportation à Buchenwald, que cette expérience l'avait conditionné. Depuis, la vue du moindre uniforme le trouvait en état de panique. Ça n'avait rien de rationnel, il le savait, c'était plus fort que lui. Mais au lieu de leur raconter cette histoire, son histoire, même s'il n'était pas sûr que les autres l'auraient cru, il s'entendit répondre : « Je ne sais plus. » Tiens, tiens, il ne savait plus ce qu'il retournait chercher à la maison quand il avait aperçu les agents de la force publique et pris la fuite, Herr Machin.

Au bout du compte, ce fut le sous-brigadier expert qui eut le dernier mot. Tandis que le Dr Schwarzberg était délaissé dans un coin, lui faisait les cent pas, dictant tel un instituteur le procès-verbal à haute voix, les deux mains dans le dos. Monsieur Chouarzebeurgue – tu regardes comment qu'on écrit son nom, fit-il au grand escogriffe, assis derrière une énorme machine à écrire qui pétaradait tel un avion de chasse venu de la Grande Guerre – était porteur d'un passeport émis par une puissance ennemie avec laquelle il s'avérait que la France se trouvait en conflit armé. Aussi tombait-il sous le coup du décret-loi Daladier du mois de novembre 1938 qui préconisait l'internement des étrangers dont la présence pouvait constituer un danger potentiel pour notre pays et donc considérés comme indésirables. De plus, depuis la déclaration de guerre au IIIe Raïche le 3 septembre écoulé, un communiqué officiel du ministère concerné avait convié les apatrides et les nationaux de l'Empire allemand à rejoindre les centres de rassemblement ouverts à leur intention. Ce que, dix jours après, monsieur Chouarzebeurgue n'avait toujours pas jugé nécessaire de faire. Le contrevenant, appréhendé…

« Avec un p ou deux, chef ? l'interrompit le dactylo.

– Un p, quelle chèvre ; et un a dans ''andé''…

… apréhandé donc en flagrant délit de fuite, ne pouvait pas ignorer la loi, comme nul n'est censé. En foi de quoi, il avait été incarcéré pour être confié au centre dont relevaient les personnes dans sa situation.

Fait à Paris, la plus belle ville du monde, le mercredi 13 septembre de l'an de grâce 1939, dix jours après la courageuse entrée en guerre du Pays des droits de l'homme face aux hordes nazies. « Leurs alliés fascistes ne perdent rien pour attendre », ajouta-t-il en aparté. Par le sous-brigadier de service. Date et signature. Le Dr Ruben Schwarzberg n'eut pas le choix et signa son propre arrêt d'internement.

Voilà comment le lendemain, après une nuit passée au dépôt, il allait se retrouver, en tant que ressortissant allemand, au camp d'Argenteuil, en région parisienne, sans qu'il ait pu avertir ni son hôtesse, ni Marie-Carmel, ni Roussan, ni la légation d'Haïti, ni un autre membre de la petite communauté haïtienne de Paris. Sa demande d'appel téléphonique avait été refusée par le sous-brigadier : « En période de guerre, y a pas l'temps pour ces salamalecs. Droits de l'homme, oui, mais pas con. »

5

La colonie de banlieue

Au-delà des inconvénients de ne plus disposer de ses mouvements et de l'incertitude sur son sort, serait-il renvoyé en Allemagne ou pas ?, le Dr Schwarzberg aurait appris au moins une chose de sa détention au camp d'Argenteuil : l'esprit rationaliste gaulois pouvait difficilement rivaliser avec le sens de l'ordre prussien. L'aménagement du centre de rétention, si tant est qu'il y en eût un, lui en avait apporté la preuve : aucune organisation digne de ce nom, aucune répartition spécifique des détenus. À part un regroupement sommaire en fonction de la langue, du pays d'origine et de la disponibilité des couchettes, initiative spontanée d'un agent d'accueil débordé, rien ne semblait avoir été prévu pour l'ouverture du camp ce jeudi 14 septembre, jour de son arrivée en milieu d'après-midi. Des Espagnols, réfugiés de la guerre civile et de la dictature du général Franco, se retrouvèrent ainsi à partager une baraque avec des apatrides et des ressortissants de l'Empire austro-allemand. Pire, des Basques furent logés avec des Catalans, des Bavarois avec des Autrichiens et des Saxons, des hommes avec des femmes, des adolescents avec des adultes. Il avait l'impression d'une improvisation totale, prétexte à tous les dérapages possibles et imaginables. Résultat, livrés à eux-mêmes, les prisonniers passaient la journée à lutter contre l'oisiveté, allant d'un îlot à un autre, sans nulle contrainte que l'impossibilité de sortir du camp. Les plus imaginatifs s'inventaient des petits boulots pour essayer de tuer le temps. Des rixes éclataient à tout bout de champ entre des grappes de désœuvrés incapables de se trouver une occupation par leurs propres moyens. Les matons intervenaient alors pour mater les têtes brûlées, vociférant des jurons en français que personne n'entendait, sauf peut-être les primo-arrivants en France, et encore.

Bref, un manque cruel de règlementation. La différence était abyssale avec la machine huilée à merveille de Buchenwald, où le détenu n'avait pas le loisir de gamberger ; où, la nuit venue, il se trouvait sa place sur son bat-flanc entre deux corps tout aussi exténués que le sien et il s'écroulait, fourbu, avant de sombrer dans un sommeil de plomb, peuplé de cauchemars ; où la survie au quotidien constituait la seule ligne de mire, et chaque jour passé debout une victoire sur la bêtise humaine. Peut-être était-il plus allemand qu'il ne le croyait. Durant le court séjour au camp d'internement d'Argenteuil, il ferait cavalier seul au lieu de se mêler à la guéguerre entre communautés, sa vie n'était pas menacée au point de nouer des alliances non souhaitées dans le seul but de surveiller ses arrières. Une bonne note toutefois à mettre au compte des *Schneckenfresser* : la nourriture était de moins mauvaise qualité qu'à Buchenwald et ne faisait pas trop défaut. Argenteuil restait néanmoins un camp de concentration, même désigné du doux euphémisme de « centre de regroupement des étrangers ». S'il en réchappait – il n'y avait pas de raison, à moins de mourir d'ennui –, il aurait des choses à raconter à sa mère, amoureuse inconditionnelle de Paris, à propos de l'organisation à la française.

Dans l'intervalle, ses nouveaux compatriotes, eux, allaient s'adonner à leur sport préféré : se réveiller après le passage du train, devoir courir derrière comme des dératés et s'étonner de n'avoir pas pu le rattraper. Personne à la légation : ni le premier secrétaire, habitué pourtant à lui parler quasiment tous les jours, ni le ministre plénipotentiaire, ni la secrétaire ne semblèrent s'être aperçus de son absence le mercredi où il aurait dû venir retirer ses documents. Madame Faubert, elle, avait attribué sa défection au petit déjeuner des deux jours suivants à quelque nuit ardente dans les bras de sa maîtresse ou d'une de ces Parisiennes aux mœurs plus volatiles que celles d'une cocotte, ou encore passée à faire la bringue avec Roussan pour fêter sa citoyenneté nouvelle, et son compère l'aurait mis à dormir dans les draps peu clairs d'un hôtel de passe bon marché. La jeunesse jouit de ressources inépuisables, se dit-elle, nostalgique de leur causerie matinale. De son côté, inquiète de ne pas voir Ruben honorer le rendez-vous du jeudi soir pour célébrer l'acquisition de sa nationalité, l'épouse du diplomate dominicain s'en informa auprès du poète, prête à lui reprocher d'avoir débauché son jeune amant, que si c'était le cas, elle lui arracherait les yeux, Roussan ne semblait pas savoir de quoi elle était capable. Ce n'est qu'à ce moment-là, le vendredi en fin de matinée, que tout ce beau monde commença à s'activer.

À partir de là, ils furent comme ces fourmis noires dites folles, s'agitant dans tous les sens, s'emmêlant les pinceaux entre ordres, contrordres, initiatives personnelles, dont on oubliait d'informer les collègues qui, une demi-heure plus tard, prenaient les mêmes. Les uns téléphonèrent aux hôpitaux, les autres aux morgues, qui d'autre à la police. Qui encore préférant s'adresser aux pompiers ; les Parisiens, c'est connu, font plus confiance aux sapeurs qu'aux poulets. Au commissariat du quartier, où Roussan se rendit à l'heure du déjeuner, il tomba sur un aspirant gardien de la paix qui le convia à repasser dans l'après-midi. Son statut de diplomate et l'urgence de la situation ne changèrent en rien le refus du bleu boutonneux de recueillir la déposition : en l'absence de ses supérieurs, il lui était interdit de décider quoi que ce soit, sous peine d'une réprimande verbale pouvant aller jusqu'à l'avertissement écrit, il était désolé, glissa-t-il courtois. En attendant, hôpitaux et morgues n'avaient enregistré personne correspondant au signalement fourni : un homme roux d'environ un mètre quatre-vingt-cinq, répondant au nom de Ruben Schwarzberg et s'exprimant avec un fort accent allemand.

Le ministre plénipotentiaire, dans tous ses états, reprocha au premier secrétaire de s'être réveillé trop tard, lui qui avait déjà câblé un message au ministère pour se féliciter d'avoir octroyé la citoyenneté haïtienne à un ressortissant allemand, médecin de surcroît, persécuté dans son pays du fait de ses origines juives. Pour l'austère homme de lettres, la vie n'était pas que fête, comme semblait le croire son jeune collègue. Le poète se jura à part soi de retourner tout Paris, d'assécher la Seine même s'il le fallait, pour retrouver son ami, vivant, sur ses deux pieds militaires ; ou, sinon, le cadavre-corps, afin de lui offrir une sépulture digne de son rang. On ne laisse pas un chrétien-vivant dans la nature comme ça. Quoi qu'il en soit, il le retrouverait. Marie-Carmel accourut à la légation, toute réserve bue, le cœur et le corps en émoi, se retenant toutefois de déverser ses larmes sur les fauteuils en velours de la représentation diplomatique.

Madame Faubert ne savait plus où donner de la tête. Elle s'adressa d'abord à un jeune rabbin de ses connaissances, représentant de l'Union générale des Israélites de France, très actif dans l'accueil de ses coreligionnaires dans l'Hexagone et de leur exfiltration de l'Allemagne nazie vers des cieux plus cléments. Le cœur serré par l'angoisse, la poétesse téléphona ensuite à des journalistes amis, au cas où ils auraient eu à traiter de la disparition pour les « chiens écrasés ». Son cœur se noua à l'idée. Elle imaginait déjà le titre : « Un jeune réfugié allemand du *Saint Louis* retrouvé mort sur les berges de la Seine. » C'était de sa faute, elle aurait dû réagir plus tôt. Elle s'en prit à Roussan, censé veiller sur son protégé, menaça le poète, qui inaugura ce jour-là son courroux, de ne plus lui adresser la parole s'il était arrivé le moindre malheur au petit : « Vous autres, Haïtiens, vous prenez tout à la légère. » Vers la fin de la matinée, par l'entremise du ministre plénipotentiaire, l'affaire atterrissait sur le bureau du ministre des Affaires étrangères français.

Tout ce branle-bas trouva un début de réponse en milieu d'après-midi lorsque Roussan, flanqué de l'épouse du diplomate dominicain, retourna au commissariat du quartier. Sur place, il rencontra enfin les deux agents qui avaient appréhendé Ruben, le petit nerveux et le grand escogriffe vérolé. Celui-ci lisait *Le Petit Parisien*, sa chaise penchée vers l'arrière, tandis que son camarade se curait les dents à coups de langue bruyants, sa seule activité du moment. À leur arrivée, les deux compères daignèrent à peine lever la tête, sans doute déjà informés par le jeune stagiaire de la visite de Roussan. Quand ils ouvrirent la bouche, ce fut pour lui opposer une fin de non-recevoir : ils ne savaient pas comment ça se passait en Afrique – Roussan était noir et donc, à leurs yeux, africain –, mais eux, le règlement leur interdisait de révéler des secrets professionnels à un inconnu, en l'absence, du reste, de leur supérieur hiérarchique. La présentation de la carte de diplomate de Roussan les porta à prêter une oreille à peine plus attentive à la requête. Délaissant enfin le nettoyage lingual de ses dents, le petit nerveux voulut bien recueillir la déposition et alla s'asseoir derrière l'énorme machine à écrire qui, une fois lancée, força tout le monde à hurler pour se faire entendre.

Rompu à la pratique des fonctionnaires moins-j'en-fais-mieux-je-me-porte du pays natal, Roussan réussit à garder son sang-froid. Il usa de tout son sens de la diplomatie pour souligner l'urgence de la situation, cela ne servait à rien de noter sa déposition, il suffisait de lui dire si oui ou non ils avaient eu affaire à ce monsieur, dont il leur mit la photo sous le nez. Il parlait d'une personne disparue depuis trois jours, plus le temps passait, moins ils avaient de chance de la retrouver vivante. Le petit nerveux rétorqua qu'en France, moins encore à Paris, les gens ne disparaissaient pas du jour au lendemain sans laisser de trace, c'est pas une jungle ici, monsieur. Il voulut savoir si l'individu recherché était un ressortissant de son pays. Roussan confirma : le Dr Ruben Schwarzberg était bien citoyen haïtien. Le gardien de la paix, qui avait retenu la leçon du sous-brigadier, objecta alors que, ne vous en déplaise, monsieur, les Tahitiens étaient sujets français, cela n'avait donc rien à voir avec la légation de son pays. « Chacun dans son pré, et les vaches seront bien gardées. »

Marie-Carmel, qui assistait jusque-là sans mot dire à la scène, sentit une bouffée de chaleur lui envahir le corps. Il lui vint des envies de meurtre par étranglement qu'elle sut refréner à temps, mais ses yeux parlèrent à sa place. Elle demanda au poète, en créole, de présenter à nouveau son badge à ces énergumènes, avec le drapeau et surtout l'orthographe du pays, si jamais ils savaient lire. Roussan ressortit sa carte, le certificat de naturalisation et le passeport haïtien de Ruben, qu'il avait apportés avec lui, et les étala sous les yeux des deux comparses. Le grand escogriffe daigna admettre que ce tiers d'île existait, qu'il serait même un pays, qui ne se trouvait ni en Afrique, ni dans le Pacifique, mais dans les Caraïbes, comme avait cru bon de préciser Roussan, à mi-chemin entre l'Amérique du Nord et l'Amérique du Sud, au milieu d'un chapelet d'autres îles. Et alors ? En quoi cela les concernait-il ? À la vérité, les deux agents de police avaient reconnu l'individu appréhendé trois jours plus tôt. Il s'agissait pour eux de trouver le moyen de s'en sortir sans perdre la face. Le petit râblé laissa enfin entendre, à demi-mot, qu'ils avaient intercepté un ressortissant allemand qui parlait français avec un accengue, en délit de fuite qui pis est, et cela avait été fait en conformité avec le communiqué officiel émanant du ministère de l'Intérieur.

« Parce qu'on peut parler une langue sans accent ? demanda Marie-Carmel.

– Nous sommes en guerre, madame, fit le grand escogriffe dans un effort immense pour ne pas répondre à la question. Il convient de prendre les mesures nécessaires afin de protéger les vies et les biens de nos concitoyens, et le caractère sacré du sol français. »

Il avait débité cette dernière phrase en prenant l'accent belliqueux et le coup de menton volontaire des politiciens sur le point d'envoyer les enfants des autres à la boucherie. Roussan en profita pour s'engouffrer dans la brèche. Il n'en disconvenait pas, monsieur l'agent, mais le dossier se trouvait depuis ce matin sur le bureau du ministre des Affaires étrangères français, lequel, au moment où il leur parlait, devait l'avoir transmis à leur ministre de tutelle. Celui-ci apprécierait sans doute leur coopération avec les représentants d'un pays ami, grand défenseur de la langue française en Amérique.

À ces mots, le visage des deux hommes devint blême. Le petit nerveux maugréa toute une série de borborygmes, d'où ressortirent des bribes de phrases : « on peut plus faire son devoir, où on va si ce sont les étrangers qui font mainnntenang la loi en France ?... », avant de se résigner à lâcher le lieu de détention de ce monsieur Chouarzebeurgue : le centre de regroupement des étrangers d'Argenteuil. Il avait fallu une bonne demi-heure de tractations, pour arracher l'information aux deux hurluberlus. Dérangé par les bruits de voix, le sous-brigadier présent depuis l'arrivée de Roussan et de Marie-Carmel finit par quitter son bureau caché derrière un paravent et par se rapprocher du groupe. Après un rapide conciliabule avec ses deux subalternes, il accepta de délivrer une copie du procès-verbal au couple, qui en aurait peut-être besoin. Le poète et l'épouse du diplomate sortirent du commissariat, encore tendus, mais soulagés, le précieux document en main. Ils avaient beaucoup progressé dans leurs recherches : Ruben était en vie, et ils savaient où il se trouvait. Restait maintenant à l'extirper du trou où ces gardiens de la paix trop zélés l'avaient enterré.

6

Salamalecs au Quai d'Orsay

L'après-midi tirait à sa fin lorsque Roussan Camille poussa la porte de la légation, impatient d'annoncer l'heureuse nouvelle à son supérieur hiérarchique, qui, même s'il se garderait bien de l'avouer, serait obligé de reconnaître son efficacité : il avait résolu l'affaire en moins de vingt-quatre heures, difficile de faire mieux. Comme quoi, sens de la fête ne rime pas forcément avec défaite. La rime était un peu pauvre, c'est vrai, mais qui écrivait encore de cette façon de nos jours, à part le chef de mission ? Jamais là quand on avait besoin de lui ! Ce coup-ci, il était appelé sur d'autres fronts, à en croire sa secrétaire qu'on dirait payée pour lui trouver des excuses, mais incapable, à la demande pressante de Roussan, de préciser quelles tranchées diplomatiques avaient un si urgent besoin de sa présence. À la vérité, il devait être chez lui – il habitait à deux pas de la légation – en train de trousser ses vers de mirliton. Or il fallait maintenant passer la vitesse supérieure, maintenir la pression sur les Français, et lui, premier secrétaire, ne pouvait rien décider sans l'assentiment de son patron : l'homme, ancien ministre des Relations extérieures, savait se montrer ombrageux quand on touchait à ses prérogatives.

À son retour en fin de journée, après que sa collaboratrice eut insisté sur la nécessité de sa présence au bureau, les deux hommes purent enfin relancer le Quai d'Orsay. Le diplomate de permanence comprenait l'inquiétude de monsieur le ministre plénipotentiaire de la République amie d'Haïti, cependant, il regrettait de ne pouvoir lui être utile dans l'immédiat, l'essentiel de l'effort du ministère étant consacré aux questions relatives à la guerre qui, comme l'imaginait bien Son Excellence, préoccupaient les Français, et les Européens d'une manière générale. Pour l'heure, son ministre de tutelle se trouvait au palais de l'Élysée, où il avait été convoqué pour une réunion de première importance avec le président de la République et le chef du gouvernement. Quant au ministre de l'Intérieur, si ses informations étaient exactes, il devait, avec son collègue de la Défense, passer en revue les troupes massées le long de la ligne Maginot. S'il pouvait se le permettre, il conseillerait à Son Excellence d'attendre lundi. Dans l'intervalle, il prendrait sur lui de déposer une note sur le bureau du ministre et de contacter le directeur du centre d'Argenteuil par tous les moyens à sa disposition afin de lui signaler la présence de son néo-compatriote. Que le ministre plénipotentiaire se rassure, les réfugiés étaient traités avec beaucoup d'humanité dans les centres de regroupement français. « Nous allons trouver une solution, et elle sera heureuse, soyez-en certain. » Hormis ce verbiage précautionneux, la conversation ne donna lieu à rien d'autre.

Après le départ du chef de mission, Roussan téléphona à Marie-Carmel, qu'il tenta de rassurer à demi-mot ; le mari, présent à la maison, avait déjà reproché à sa femme de ne pas lui dire tout : la preuve, en sa présence, elle s'adressait à son compatriote dans leur foutu patois qu'il ne comprenait pas. Une manière habile, en fait, pour l'attaché militaire de cacher ses propres péchés. Après cette brève conversation, le poète se rendit chez son amie

Ida pour lui apporter les bonnes informations glanées dans l'après-midi. Il la trouva dans le double living, à demi éclairé par la lumière qui tombait du réverbère extérieur, une bouteille de champagne aux trois quarts vide et une flûte à portée de main. Loin de la réconforter, le compte rendu de Roussan l'atterra davantage puisqu'il laissait entendre que le Dr Schwarzberg passerait le reste de la semaine dans un camp d'internement, au milieu d'honnêtes réfugiés sans doute, mais aussi de repris de justice, d'individus louches, dont leurs pays se seraient débarrassés. Elle s'arrangea pour se placer dans l'ombre afin de dérober ses yeux rougis au regard du poète, qu'elle enguirlanda à nouveau, avant d'avouer entre deux sanglots : « C'est de ma faute, j'aurais dû l'accompagner ce matin-là », pleura-t-elle dans les bras de son ami. En deux mois et demi de cohabitation, exception faite de la parenthèse de Deauville, elle avait appris à considérer Ruben comme un second fils, dont la détention était venue raviver une blessure cachée au plus profond de sa chair : la perte en bas âge de l'aînée de ses deux enfants. « Avec moi à ses côtés, les policiers n'auraient pas osé l'arrêter », insista-t-elle, avec des accents de louve décidée à protéger sa portée contre vents et marées. Le poète ne l'avait jamais vue aussi ravagée et eut du mal à l'empêcher de terminer la bouteille de champagne. Au bout d'une demi-heure, sa parole, d'une lenteur exacerbée par l'alcool, commença à montrer des signes d'incohérence. Roussan lui donna alors le bras et l'accompagna jusqu'à sa chambre, un ensemble d'un rose surprenant, des murs au drap, en passant par la descente du lit sur lequel il l'allongea et la borda avec délicatesse. Avant de se retirer, son jeune ami promit de rappeler le lendemain pour savoir comment elle aurait passé la nuit.

Le week-end s'écoula dans la rumeur des bruits de bottes qui se rapprochaient de plus en plus du territoire français. Partout dans la capitale, dans les villes de province, les bistrots, les foyers, sur les places publiques, les marchés, les gens ne parlaient que de ça. Les plus âgés déballaient les souvenirs de la Grande Guerre devant les moins de vingt ans qui les accusaient d'en rajouter, les plus prévoyants stockaient déjà des victuailles en prévision des jours de disette qui ne manqueraient pas de les frapper comme celle que Iahvé précipita sur le pays d'Égypte. Mais tous misaient sur l'inviolabilité de la ligne Maginot, « le meilleur rempart de défense au monde », avait encore clamé sur les ondes, d'un ton martial, le président du Conseil.

« En cas d'attaque, c'est sûr et certain, répéta le petit peuple de Paris, les Fritz se casseront la gueule dessus, et ce sera mérité ; à croire que la bastonnade de 14-18 ne leur a pas suffi. »

Le lundi dès huit heures, alors qu'il prenait d'ordinaire service aux alentours de dix heures, le premier secrétaire recommença à harceler au téléphone le cabinet des ministres concernés, son chef y avait ajouté celui de la Justice afin de s'assurer de n'avoir rien laissé au hasard. Il fallut toutefois attendre deux autres jours avant de voir enfin les démarches aboutir, au grand soulagement des deux hommes, de leur amie Ida et de Marie-Carmel, auxquelles Roussan s'empressa de communiquer l'information : en milieu de matinée, ils avaient reçu un télégramme, suivi d'un appel téléphonique du Quai d'Orsay, pour les informer de la libération de leur ressortissant, qui se trouvait déjà dans ses locaux. Le signataire de la note se félicitait de l'issue de l'affaire, le ministère regrettait cette fâcheuse méprise avec la République amie d'Haïti.

Muni du passeport et de la déclaration de naturalisation, Roussan se rendit au Quai d'Orsay, brûlant d'impatience de retrouver son ami. Il n'eut pas besoin de présenter les documents au fonctionnaire venu à sa rencontre. À la fois gêné et fier, le diplomate renouvela ses excuses au nom du ministre, occupé ailleurs dans la défense de la France et du royaume de Navarre, et sans doute du reste du monde, car s'en prendre à la France, c'est s'attaquer à la liberté de l'humanité, ce n'est pas un Haïtien qui dira le contraire, la Révolution haïtienne est fille de la grande Révolution française, n'est-ce pas ? Roussan le remercia à son tour de la diligence de leurs services, une diplomatie d'excellence, reconnue de la planète entière et dont nous sommes flattés de partager la langue si belle. Qu'il sache, dans les moments difficiles qui s'annonçaient, que la République d'Haïti se tiendrait comme un seul homme aux côtés de l'ancienne métropole et du vaillant peuple français, dont le courage et la capacité de résistance, qu'on pense aux jours sombres de la Commune de Paris, n'étaient plus à démontrer. Le décret-loi *in absentia* de naturalisation des Juifs d'Europe qui le souhaitaient était un premier rempart contre l'antisémitisme de monsieur Hitler, il ne doutait pas un seul instant que la France, pays des droits de l'homme, ferait de même. Les salamalecs expédiés, les deux copains purent enfin se jeter dans les bras l'un de l'autre sous l'œil bienveillant du diplomate français.

Dans la voiture avec chauffeur qui les ramenait à la légation, Roussan ne se priva pas de jouer le grand frère. Il voulut savoir si Ruben avait été bien traité, s'il avait pu manger à sa faim, il connaissait la pingrerie légendaire des Français, avec leurs petits « ci » par-ci, leurs petits « ça » par-là, alors qu'ils avaient toujours le mot de « grandeur » plein la bouche, il tapota ses joues poilues d'une barbe de sept jours pour s'en assurer. Ruben rit de bon cœur de la sollicitude de son poète d'ami qui lui raconta, dans la foulée, l'inquiétude de tous ceux de la communauté qui étaient prêts à aller manifester devant le ministère des Affaires étrangères s'ils avaient continué à ne plus avoir de ses nouvelles, les démarches effectuées, Paris retourné sens dessus dessous, l'épisode kafkaïen du commissariat de police où, après moult atermoiements, les agents de service avaient enfin reconnu l'arrestation et lui avaient indiqué le lieu de sa détention. Il ignorait tout des camps d'internement pour les nationaux allemands. Pour les réfugiés espagnols, oui, puisqu'ils ne cessaient de débarquer depuis janvier, mais pour les compatriotes de Goethe, ça lui avait échappé. Comme à l'accoutumée, le poète remplit l'habitacle de la voiture de ses mots chaleureux, lui dit que tout le monde l'attendait avec impatience, « *mamita* Gutierrez plus encore que les autres ». Chemin faisant, il remit à Ruben ses documents d'identité. « Dorénavant, tu es officiellement haïtien, Doc », fit-il avant d'ajouter : « Même si tu l'étais déjà par le pouvoir du ventre et du bas-ventre ! » Et là, il se laissa aller à une franche rigolade. Redevenu sérieux, il reprit :

« Maintenant, ça y est. Je ne veux plus que tu restes dans ce pays de bouffeurs de crapauds et de limaces. Tu as deux jours pour tes adieux de cœur et de corps. Après, je t'accompagnerai au Havre et te mettrai moi-même dans le bateau pour Haïti. »

La voiture rejoignit l'avenue de Villiers, dans l'ouest parisien, où elle déposa les deux amis à la hauteur de la légation. Le ministre plénipotentiaire tenait à s'assurer de la pleine santé physique et mentale du digne fils de la Pologne, à entendre de sa bouche sa version de son internement, car, s'il avait été maltraité, il s'en plaindrait auprès du Quai d'Orsay et son homologue français en place à Port-au-Prince devrait rendre des comptes à son ministère de tutelle. Le Dr Schwarzberg le remercia pour les démarches ayant amené sa libération, il lui certifia n'avoir subi aucune maltraitance particulière. À la vérité, les conditions de détention ne furent pas si dures. « Il y a pire », dit-il sans préciser sa pensée. Il eut juste à lutter contre le désœuvrement et quelques difficultés, les trois premiers jours, à supporter la promiscuité. Au bout du compte, il s'y était fait : « L'être humain s'habitue hélas à tout. » Il commenta avec humour l'incapacité des gardiens à parler quelque langue étrangère que ce soit, ce qui fut à l'origine de scènes fort cocasses et un motif d'amusement pour les détenus, qui prenaient un malin plaisir à les berner en feignant de ne pouvoir s'exprimer que dans leur propre langue. L'un des matons, un peu plus futé, s'en rendit compte et voulut les obliger à lui adresser la parole en français. Il s'en allait dans le camp en hurlant : « On est en France ici, il faut parler français. Et sans faute, s'il vous plaît. » Le soir, dans les dortoirs, les détenus le charriaient, la bouche en cul de poule, « On est en France ici », assurés de recueillir l'hilarité générale, toutes communautés et langues confondues.

Après le récit du Dr Schwarzberg, le ministre plénipotentiaire se leva, lui passa le bras par-dessus l'épaule dans un geste paternel. Et comme il avait tenu sa grande amie informée étape par étape de l'évolution de la situation, il lui dit, un sourire amusé sur les lèvres : « Votre maman vous attend pour le déjeuner. » Puis il se tourna vers le premier secrétaire :

« Monsieur Camille, vous allez avec lui. Vous ne le lâchez pas d'une semelle, jusqu'à ce qu'il soit sur le paquebot en partance pour la première république vraiment libre de l'Amérique. »

À la sortie de la légation, après un rapide détour par le bureau de Roussan pour rassurer Marie-Carmel par téléphone, les deux compères se rendirent chez madame Faubert à pied afin de se remettre de leurs émotions. Voilà comment, une demi-heure plus tard, après avoir salué au passage la concierge madame Da Costa, réconciliée depuis avec Doutor Schwarzberg, dont elle s'enquit de l'absence pendant toute une semaine, ils se présentèrent au quatrième étage de la rue Blomet, où les attendaient une Ida impatiente et la table dressée depuis un moment déjà pour un déjeuner qui s'annonçait pantagruélique. Tandis que l'on entendait la replète Bretonne s'affairer dans la cuisine, la poétesse fit sauter elle-même le bouchon de la bouteille de Veuve Clicquot qu'elle avait gardée au frais pour célébrer le retour du fils prodigue. « *Lehaïm* », laissa échapper Roussan en levant son verre, devant un Ruben surpris et flatté, se demandant dans les bras de quelle amante le bonhomme avait appris à trinquer en hébreu, avant de reprendre lui aussi un « *Lehaïm* » qui, durant quelques secondes, laissa flotter dans la salle à manger comme un parfum d'enfance. Madame Faubert voulut gaver son protégé, qu'elle n'arrêtait pas de couver du regard, et entendre tout à la fois la relation des événements. Malgré sa taille svelte, Roussan se prévalait d'un bon coup de fourchette, il fit d'autant plus honneur au repas que la marche lui avait ouvert l'appétit, il tenait à féliciter la maîtresse de maison et surtout la cuisinière que ses compliments roulés à merveille rendirent encore plus rougeaude. Il écouta d'une oreille distraite le récit de Ruben, auquel, il le savait, il aurait droit une quatrième voire une cinquième fois, car, sans compter le trajet dans deux jours jusqu'au Havre, il projetait de l'entraîner pour une dernière rumba au Bal Nègre, après avoir rameuté les autres, afin de lui offrir l'occasion de faire ses adieux à la Ville lumière et à leur petite communauté.

7

Adieu Paris, adieu

Avant de quitter la capitale française, Ruben prit le temps d'écrire à la famille aux États-Unis, à tante Ruth à Jérusalem et une lettre plus détaillée à oncle Joe, dont il avait obtenu entre-temps l'adresse à La Havane. Il tint sa promesse et écrivit aussi à Silke, à qui il n'avait plus donné signe de vie depuis son premier courrier, il attendait d'avoir des informations plus concrètes. À tous, il raconta la fin du séjour parisien, en omettant bien sûr la semaine au camp d'Argenteuil, exception faite de son oncle qui eut droit, au nom de l'expérience commune, au récit comparé des systèmes d'internement de masse en Allemagne et en France, le génie organisationnel teuton *vs* l'improvisation gauloise. Avec les autres, il insista sur la possibilité pour lui de démarrer une nouvelle vie en Haïti, dont les natifs, ici à Paris, lui disaient le plus grand bien, vantaient la chaleur et la qualité de l'accueil, non sans chauvinisme. En cela, ils ressemblaient assez aux Français : « C'est pas la peine de chercher, tu ne trouveras mieux nulle part ailleurs, Doc. » À un moment où la peur de l'autre était la norme, ils l'avaient convié à s'installer dans leur pays, à parcourir à leurs côtés un bout de chemin sur la grand-route de la vie. Ils n'avaient pas grand-chose, ils le savaient, mais ce peu, ce rien même, ils étaient prêts à le partager avec d'autres, et c'est ça qui l'avait décidé.

Les Haïtiens n'avaient pas l'air de se rendre compte du cadeau qu'ils lui faisaient. En l'accueillant parmi eux, ils lui offraient une terre à chérir et peut-être aussi à détester plus tard, par moments, ce qui serait une autre façon de l'aimer, la détestation étant l'envers de l'amour. Madame Faubert – maman adorera sa poésie, je lui ai mis son recueil *Cœur des îles* dans l'enveloppe – avait alerté tout Port-au-Prince de son arrivée, en plus des mesures prises par la légation elle-même. Bref, on l'attendait dans l'île comme le messie ; même si, en dehors de son métier de médecin, il n'avait vocation à sauver personne. Il se trouverait bien là-bas, il en était convaincu. Selon le ministre plénipotentiaire, tout juste revenu de la petite république caraïbe, d'autres Juifs venus de Belgique, d'Allemagne, de Pologne… y avaient déjà trouvé une nouvelle patrie. Il ne serait pas seul. Il y aurait aussi les prières de l'enfance qui l'accompagnaient en toute circonstance, et il cita de mémoire pour faire plaisir à sa mère : *« Hachem est mon berger, je ne manquerai de rien. [...] Même quand j'irai dans la vallée de la mort, je ne craindrai pas le mal car Toi Tu es avec moi. »*

Oncle Joe, dont la débrouillardise et les blagues frelatées lui manquaient, serait bien inspiré de l'y rejoindre. Il avait lu et entendu des choses horribles sur l'existence d'un parti nazi à Cuba. Dans le petit cercle de la diplomatie, même à mots feutrés, ça parle : là-bas aussi, paraît-il, les leurs étaient montrés du doigt, là-bas aussi, ils semblaient devoir porter tous les péchés d'Israël. Et puis, à quoi bon le cacher, tonton ? Je serais heureux de t'avoir à mes côtés, au moment de faire mes premiers pas sur cette nouvelle terre. Il suffirait pour cela de se présenter au consulat d'Haïti à La Havane. Si jamais les démarches traînaient, il pourrait, lui Ruben, solliciter l'intervention de ses nouveaux compatriotes à Paris… Avant de refermer les enveloppes, il devança la demande des uns et des autres, et promit d'écrire dès son arrivée dans la capitale haïtienne.

En milieu d'après-midi, Ruben retrouva l'épouse du diplomate dans un palace parisien à la mode, où la dame avait souhaité lui faire ses adieux. La soirée allait les surprendre, encore inassouvis d'amour et de mots, de rires et de gémissements, d'émotion contenue aussi, qui sut s'arrêter chaque fois au bord des larmes, évitant ainsi d'appesantir l'atmosphère. Le temps d'un après-midi d'été, plus rien n'exista en dehors de la sensuelle complicité des deux amants : ni les pas, rares et sourds, amortis par la moquette, dans les couloirs du palace ; ni les rumeurs de fond de Paris ; ni le bruit des bottes qui se rapprochait de la ville. Rien. Hormis leurs jeux et leurs souffles, ceux de la maîtresse mêlés à ceux de son élève, dont elle apprécia une fois de plus la vitalité et la rapide capacité d'apprentissage. En à peine plus de deux mois, le jeune rouquin timoré s'était transformé en un amant hardi dont les initiatives saisissaient ses sens et son corps, qui en avaient vu d'autres pourtant, les hissaient vers des sommets dont elle n'avait pas, ou plus, mémoire, la laissant en apesanteur des jours durant. Et en absence de lui, de son truc chauve en elle, il suffisait qu'elle y repense pour que son corps soit pris d'imperceptibles spasmes et son sexe se mette à frémir, dégoulinant d'envie et de manque. L'agneau s'était métamorphosé en lion pour son plus grand bonheur.

Cet après-midi-là fut un moment de grâce et de légèreté, au bout duquel Marie-Carmel lui offrit une montre à gousset plaquée or et gravée de ses initiales, RS, que Ruben, arrivé les mains vides, hésita à accepter.

Il n'avait rien apporté, ce n'était pas juste, à moins qu'elle veuille faire de lui un gigolo, dans ce cas, elle devrait débourser beaucoup plus, plaisanta-t-il pour masquer sa gêne. De toute façon, répondit son amante, elle n'aurait pas pu rapporter de cadeau à la maison, ni ne passerait la nuit dans ses bras, le sommeil et le nez pleins de son odeur, comme il le lui avait demandé et comme elle-même l'aurait souhaité. Ce n'est pas parce que son militaire de mari la délaissait qu'il fermait pour autant les yeux sur ses allées et venues.

Jamais le Dr Schwarzberg ne connaîtrait d'au revoir plus beau avec une femme. Rien de déchirant, ni de dramatique, sinon le plaisir entier, total, de partager un moment qu'ils célébrèrent avec appétit, comme si l'un et l'autre ne devraient plus en revivre dans leur vie.

« Peut-être, dit son amante entre deux étreintes, nous reverrons-nous à Port-au-Prince. Peut-être pas, si tu choisis de t'installer aux États-Unis. Ce en quoi tu aurais tort, mon chéri. La vie là-bas ne sera jamais aussi agréable pour toi qu'en Haïti. Quoi qu'il arrive, je veux que tu saches que tu auras été l'un des plus beaux cadeaux de ma vie. Le tout dernier, va savoir. À mon âge, je ne pensais plus vivre une expérience aussi éblouissante.

– Au fond, l'âge n'a aucune espèce d'importance. Deux personnes qui s'aiment ont l'âge de leurs plaisirs et de leur amour », fit Ruben, flatteur.

Marie-Carmel savoura la repartie, preuve supplémentaire, si besoin était, que le jeune médecin un peu timide du début, auquel elle avait dû presque mettre le pied à l'étrier, avait fendu l'armure au point de choisir le moment idéal pour raconter aux femmes les doux mensonges qu'elles adoraient entendre. Elle avait continué en disant que, si jamais ils se revoyaient là-bas, elle n'aimerait pas une rencontre dans une ambassade ou un salon bourgeois de Port-au-Prince, où ils s'ignoreraient royalement afin de ne pas donner prise aux rumeurs. « C'est comme ici dans la communauté, on a tous un lien de parenté ou d'amitié dans le petit milieu bourgeois de la capitale haïtienne. » Elle préférerait des retrouvailles au cours d'un bal où quelqu'un, méconnaissant leur histoire, les aurait présentés l'un à l'autre. Il l'inviterait à danser et l'entraînerait, légère, virevoltante, sur la piste de leurs souvenirs. Au fait, pourquoi n'étaient-ils jamais allés danser ensemble ? Elle adorait tant cet art si distingué pour un homme et une femme de se humer, de se donner l'un à l'autre par la pensée et le frôlement de leurs corps, avant peut-être de concrétiser le désir muet dans les faits. Ruben lui ferma la bouche de plusieurs baisers furtifs, puis parla à son tour. Jamais, dit-il en substance, il n'aurait pensé intéresser une femme si riche de beauté et d'expérience. Qu'avait-elle trouvé chez un petit blanc-bec comme lui, qui n'avait rien à lui offrir ?

C'est à ce moment-là que Marie-Carmel sentit l'émotion l'envahir, si forte qu'elle eut envie de lui dire l'indifférence de son mari, le manque d'attention de sa part depuis trop longtemps déjà, leurs corps qui ne se rencontraient plus, sauf à chaque mort de pape, entre deux cuites et deux liaisons passagères pour un « bonjour-poils ». Et lui, Ruben, qui était arrivé, frais, viril, débordant de jeunesse et de candeur. Vrai ! Elle eut envie de lui dire : « J'aurais eu vingt ans de moins… », mais il y avait sur son visage toutes ces rides, invisibles à l'œil peu exercé, qui les séparaient ; elle rattrapa à temps ses pleurs et ses mots. Après un moment long de silence, il avait ajouté : « Je me considère comme un privilégié de la vie, tu sais. » Il ignorait si le paradis existait ou pas, mais, grâce à elle, il s'en était approché.

Mieux, il y était entré, au contraire de Moïse qui aperçut la Terre promise du sommet du mont Nébo et mourut avant d'avoir pu y pénétrer. Son sexe de femme fut sa Terre promise, dit-il en pensant au velouté de sa fente qui savait s'écarter à la mesure du sien, juste ce qu'il fallait pour l'accueillir à l'égal d'un prince, sans qu'il se sente trop à l'étroit ou perdu au milieu de nulle part. Elle sourit, flattée de la comparaison, mais lui interdit de blasphémer. Si Dieu existe, dit Ruben, c'est lui qui a inventé l'amour, et donc en parler ne saurait être en rien un blasphème. Dieu, lui, sait que Ruben existe, il l'a accompagné sain et sauf à Paris, comme il saura l'accompagner jusqu'en Haïti, fit-elle. Après s'être douchés et rhabillés, les deux amants s'étaient séparés sur une chaude et interminable étreinte, l'épouse de l'attaché militaire dominicain précédant le Dr Schwarzberg à la sortie de l'hôtel.

La nuit était déjà tombée sur Paris lorsque Ruben rejoignit Roussan à la Rhumerie, un bar situé du côté de Saint-Germain-des-Prés, où l'attendait une grappe d'Haïtiens, dont Louis-Alexandre, sa rencontre du premier soir. Au fil des heures, le groupe ne cesserait de s'agrandir, chacun avait un conseil à lui donner, quelqu'un dont la fréquentation était à éviter comme la peste, un courrier ou un colis à remettre à des proches. Connaissant ses compatriotes, le poète avait pris les devants et veillé à ce qu'ils ne le chargent trop : « C'est un docteur, messieurs, pas une bourrique. » Entre les blagues salaces des uns et les mots d'esprit des autres, ils dégustèrent plusieurs variétés de rhum, dont celui d'Haïti, le meilleur de la Caraïbe, bien sûr, et donc du monde, ils dînèrent d'accras de morue, de boudin noir, de bananes plantain frites, des spécialités caribéennes que Ruben avait appris à connaître au fil des semaines et des invitations dominicales ici et là. Et comme il était hors de question de terminer la soirée sans s'essuyer les pieds, celle-ci se poursuivit au Bal Nègre, là où tout avait commencé. Ce soir-là, l'Haïtien Maurice Thibault officiait au piano aux côtés du Franco-Panaméen Robert Mavounzy au saxophone et du Camerounais Fredy Jumbo à la batterie ; les filles avaient accouru de partout, à l'appel du poète qui avait souhaité fêter le départ de son copain docteur dans la bonne humeur, car, avec une bande de mâles, ça finit toujours dans l'ivrognerie, l'empoignade et la mélancolie. Le cercle d'amis se sépara aux premières lueurs de l'aube, imbibé de rhum, de fumée de cigarettes, de sons et de mots.

Trois à quatre heures plus tard, lorsqu'il se présenta au petit déjeuner, auquel le poète fut également convié, Ruben avait la tête au fond des chaussettes. Le café très fort de madame Faubert, qu'il avala sans sucre, et les blagues de Roussan arrivé avant lui – à se demander comment diable il s'y prenait pour être aussi fringant le matin après une nuit de bringue – contribuèrent à lui remettre l'esprit à l'endroit. Madame Faubert avait troqué la traditionnelle collation française contre un petit déjeuner à l'haïtienne, cuisiné de ses propres mains et qui, beaucoup plus solide, vint rappeler à Ruben les repas pris en famille le matin, en Allemagne. Des racines de toutes sortes, manioc, igname, dont il ignorait l'existence, flanquées de morue à l'échalote, à la vinaigrette et au piment vert, de tranches d'avocat fondant, d'une salade de banane et de mangue, accompagnaient un épais jus de corossol au lait. Le Dr Schwarzberg voulut savoir où son hôtesse avait bien pu dégoter tous ces vivres et fruits exotiques dans Paris, il l'imaginait mal cabas à l'épaule, les rapportant du marché. Roussan présenta les vivres pour son ami, à sa manière, bavarde et lyrique. À l'entendre, ces produits tenaient leur excellente saveur du seul terroir haïtien. Il ne tarit pas non plus d'éloges sur sa grande amie Ida, dont le talent culinaire, quand elle s'y mettait, n'avait d'égal que la force de sa poésie… et la vigueur de ses engueulades quand elle était en rogne.

« Tu ne peux pas savoir ce que j'ai dégusté, mon grand, parce que ces crétins de flics t'avaient ramassé.

– Et ce n'était que mérité, dit la poétesse. Vous autres Haïtiens, vous êtes des irresponsables, vous ne prenez jamais rien au sérieux. C'est d'ailleurs la raison pour laquelle je suis partie de votre foutu pays (la première fois que Ruben l'entendait dire un gros mot).

– Et c'est pour ça que vous y envoyez ce pauvre Ruben ?

– Vous ne perdez rien pour attendre, vous. »

Tout en prêtant oreille à la passe d'armes pondérée entre ses deux amis, le Dr Schwarzberg n'y alla pas avec le dos de la cuiller. Il en avait besoin pour reprendre un peu des forces laissées la veille dans les joutes avec l'épouse du diplomate et la bringue qui s'en suivit entre la Rhumerie et le Bal Nègre. Roussan aussi mangea de bon appétit, pendant que la poétesse formulait les dernières recommandations à son protégé. Elle remit à Ruben un pli pour un cousin professeur de médecine, qui l'aiderait à intégrer l'équipe de l'hôpital de l'université d'État d'Haïti, le plus grand centre hospitalier de Port-au-Prince, avant, bien sûr, d'ouvrir son propre cabinet. Il avait un statut de médecin à tenir, et ce n'était pas avec le salaire de misère de l'État haïtien qu'il y arriverait.

« En attendant d'avoir votre propre maison, vous pourrez toujours loger chez mon cousin : en Haïti, les gens de votre rang ne louent pas. La famille possède des terrains à Montagne Noire, un lieu de villégiature sur les hauteurs de Port-au-Prince, où l'on a commencé à construire des résidences principales. J'interviendrai pour qu'on vous cède une parcelle à un prix intéressant. Vous allez rester, pas vrai ? Vous n'allez pas vous exiler chez ces Yankees, qui vous ont tourné le dos quand vous aviez besoin d'eux ? Faites venir vos parents et vos grands-parents, ils seront bien mieux chez nous. »

Le petit déjeuner achevé, ce fut enfin l'heure de boucler les valises. L'opération nécessita à peine une demi-heure, car le Dr Schwarzberg avait presque fini d'empaqueter ses affaires le matin où il se fit embarquer par les deux gardiens de la paix, le petit nerveux et le grand escogriffe vérolé. Au moment de partir, sur le coup de onze heures, madame Faubert, dont les recommandations multiples visaient à cacher l'émotion, ne put s'empêcher d'écraser une larme quand Ruben l'étreignit dans ses bras. Surprise, elle devait s'attendre à une franche poignée de main bien teutonne, elle lui souhaita bonne chance, mon cher, soyez heureux, avant de le laisser, avec l'aide de Roussan, déposer ses bagages dans l'ascenseur. Ruben repartait plus lourd de deux valises qu'à l'arrivée : des effets personnels qu'il avait achetés et dont il aurait besoin là-bas, des commissions à transmettre, des présents pour le cousin de madame Faubert et sa famille… Au rez-de-chaussée, sous le porche, il sonna à la loge de madame Da Costa qu'il tenait à saluer avant de s'en aller, avec une enveloppe glissée en toute discrétion en guise de remerciement.

Le chauffeur de la légation attendait les amis devant l'entrée de l'immeuble où le Dr Schwarzberg s'était présenté trois mois plus tôt, chargé d'incertitudes, et d'où il repartait plus léger pour la gare Saint-Lazare prendre le train à destination du Havre. Il y avait environ deux cents kilomètres à parcourir et, durant le trajet, il mêla de temps en temps ses mots à ceux intarissables du poète ; depuis qu'il fréquentait les Haïtiens de Paris, sa parole était moins heurtée. Peut-être parce qu'il n'utilisait pas sa langue maternelle, comme ça peut arriver de se sentir plus à son aise dans une langue autre que la sienne : les mots nouveaux, moins proches de notre corps, charrient plus de légèreté et s'envolent ainsi sans contrainte aucune, libres des blessures de l'enfance. Au contact de la petite communauté, il s'était même lancé dans le créole et, avec sa maîtresse, il avait appris à dire : « *Mwen renmen w, kòkòt. Ou dous pase yon kann kale.* » Ou encore : « *Mwen ta tòtòt ou tankou yon mango kòn ki pa janm fini.* » Il avait plus ou moins compris qu'elle espérait s'entendre dire quelque chose du genre, elle était plus douce que la canne à sucre, ou une mangue qu'on aurait envie de téter à l'infini. Ruben ne s'était pas fait prier pour susurrer aux oreilles de son amante ces mots auxquels son drôle d'accent apportait plus de romantisme. Cette langue lui parut plus souple que le français et l'allemand, plus ouverte aussi aux apports étrangers, qu'elle avait très vite intégrés dans son parcours, comme devait l'être le peuple qui la parlait.

Voilà comment le Dr Ruben Schwarzberg, après avoir serré longuement son ami contre sa poitrine, s'apprêtait à prendre place à bord du paquebot *Le Meknès* qui reliait Le Havre à Haïti, où il débarquerait après une traversée d'une douzaine à une quinzaine de jours, en fonction des escales prévues et du temps qu'il rencontrerait en chemin. Le Dr Schwarzberg se souvint qu'il n'avait pas voulu savoir combien de temps durerait le voyage. La mer, comme la vie, regorge de surprises, certaines agréables, d'autres nuisibles, dont il fallait savoir s'abriter. Personne ne l'attendait en Haïti, hormis son avenir et la vie. Et puis, ce n'était pas plus mal de s'éloigner en douceur de la vieille Europe, où demeurait encore une bonne part de lui-même : l'histoire de sa famille, la sienne, ses racines, tant de souvenirs, ses premières amours, dont Berlin, la ville de son enfance et de sa prime jeunesse. De toute façon, il avait de quoi tenir durant le voyage : outre *De l'égalité des races humaines*, ses amis lui avaient offert deux essais de Jean Price-Mars, médecin lui aussi : *La Vocation de l'élite*, dédié à Ida Faubert, et *Ainsi parla l'oncle*, dont les descriptions et l'analyse plongeaient dans le monde rural haïtien, que l'auteur semblait préférer au bovarysme culturel de ses pairs ; le roman *Le Choc*, dans lequel le ministre plénipotentiaire vilipendait l'occupation états-unienne d'Haïti, et plusieurs recueils de ses poèmes, ciselés de main de maître, aussi beaux que ceux de *Cœur des îles*, où Ida donnait à découvrir une femme d'une grande sensualité, à travers notamment le poème « Réveil », et tant d'autres trésors littéraires de leur île. Quelque neuf mois plus tard, réquisitionné pour transporter des troupes françaises, *Le Meknès* serait torpillé par une vedette allemande, alors même que l'armistice était signé entre les deux pays. Mais ça, c'était une autre histoire. L'été 1939 s'en alla ainsi, tandis que le Dr Ruben Schwarzberg se trouvait en haute mer, en route vers la Caraïbe, et que les portes de Paris tremblaient déjà de l'approche des bottes nazies.

RÉPIT

Port-au-Prince, janvier 2010

Ce n'était pas la première fois que quelqu'un tentait d'entraîner le Dr Schwarzberg sur la piste boueuse de cette singulière mémoire. Il avait toujours su répondre non, de manière ferme souvent, parfois de façon plus biaisée, pour ne pas froisser inutilement son interlocuteur. Chaque fois que l'occasion s'était présentée de l'évoquer avec les siens, sa pensée avait hésité à tresser les mots en récit avant de se perdre en vaines excuses, comme un fleuve qui se serait asséché sur le chemin de l'océan. À peine leur avait-il rapporté que la famille avait fui l'Europe pendant la guerre, à l'instar de centaines de milliers d'autres. La sienne aussi s'était éparpillée aux quatre vents de la planète afin de rester en vie. Rien d'original. Inutile donc d'encombrer la cervelle des enfants d'un fardeau qui n'était point le leur. Pour tout dire, il n'avait pas cédé, même lorsque sa femme – paix à son âme – avait pris l'initiative de leur en parler, afin qu'ils restent au contact de leurs racines, n'hésitant pas, à cause à vrai dire de son mutisme, à inventer ou en rajouter au passage. Elle y tenait dur comme fer, ils n'allaient pas élever les enfants comme des cabris lâchés dans la savane, sans attache ni mémoire. « Tout être humain a son histoire souchée à des mythes, des rituels spécifiques. Il est important de les leur enseigner », avait-elle dit, elle si pragmatique, si peu portée sur la philosophie. « Ici, tout le monde vient d'ailleurs, avait répondu le Dr Schwarzberg. Les racines des uns se sont entremêlées à celles des autres pour devenir un seul et même tronc. Aux multiples ramifications certes, mais un tronc unique. À vouloir les dénouer, on risque le dessèchement du tronc tout entier. »

Ce soir-là pourtant, installé avec Deborah face à la baie désormais invisible, il répondit avec une indulgence inédite pour lui. Sans doute la vieillesse l'avait-elle amené à minimiser les choses, ramolli, aurait dit tante Ruth, la guerrière du clan. À son âge, la fierté ou la pudeur lui paraissaient désormais inutiles, dérisoires. Depuis le départ lointain de sa tante, dont il était encore plus fier qu'elle de lui, jamais le Dr Schwarzberg n'avait rencontré quelqu'un de la tribu qu'elle avait créée sur la terre des origines. Ils avaient entretenu une correspondance régulière pourtant, échangé maintes fois par téléphone, à Rosh Hashana, Yom Kippour, Pessa'h, Hanouka… une habitude ramenée de leur éducation commune. Il n'espérait plus une telle surprise de la vie, encore moins dans des circonstances aussi tragiques : serrer dans ses bras un membre de la tribu perdue. En plus, Deborah avait le même sourire que sa grand-mère, la même discrétion et la même détermination dans le regard. C'était comme un chapitre de son enfance qui lui était renvoyé en cadeau, avant que les ombres s'effacent, qu'il ne redevienne poussière, ou néant.

Sans doute aussi la présence massive de la mort autour de lui. Jamais, depuis Buchenwald, il n'avait senti l'odeur de la mort d'aussi près. Comme des dizaines de milliers d'autres Haïtiens, il aurait pu laisser la vie dans le tremblement de terre. À plus de quatre-vingt-quinze ans, à un moment où il avait un pied dans un cercueil et l'autre sur une peau de banane, comme on dit ici, ça n'aurait pas été si grave. Il avait fait son temps, il avait même dépassé la date de péremption. Cela aurait été dommage, avait dit Deborah, de s'en aller avec cette histoire qui n'était pas que la sienne, mais celle aussi de la famille, de tous ces rescapés qui n'avaient pas su, ou pas voulu, la raconter, celle des millions de disparus anonymes. Deborah avait la même intonation que sa grand-mère, malgré son allemand hésitant, moins fluide. Elle parlait aussi français, mais l'allemand, cette langue de la lacération du tissu familial, leur était venu de façon spontanée à tous les deux. Peut-être avait-elle raison, avait répondu le Dr Schwarzberg. Mais au-delà de ces gens, dont la mémoire avait déjà trouvé écho dans le monde entier – même s'il y en avait encore d'assez haineux pour nier l'évidence –, s'il avait accepté de revenir sur cette histoire, c'était pour les centaines, les millions de réfugiés qui, aujourd'hui encore, arpentent déserts, forêts et océans à la recherche d'une terre d'asile. Sa petite histoire personnelle n'était pas, par moments, sans rappeler la leur. Et puis, pour les Haïtiens aussi. Pour qu'ils sachent, en dépit du manque matériel dont ils avaient de tout temps subi les préjudices, du mépris trop souvent rencontré dans leur propre errance, qu'ils restent un grand peuple. Pas seulement pour avoir réalisé la plus importante révolution du XIXe siècle, mais aussi pour avoir contribué, au cours de leur histoire, à améliorer la condition humaine. Ils n'ont jamais été pauvres en générosité à l'égard des autres peuples, le sien en particulier. Et cela, personne ne peut le leur enlever.

Ces éléments mis bout à bout expliquaient sans doute pourquoi le Dr Schwarzberg avait accepté de parler, tandis que ses doigts égrenaient tel un chapelet la chaîne de la montre-gousset dont le placage or renvoyait par à-coups des reflets dorés ; une montre dont il ne s'était point séparé et qui n'avait jamais cessé de fonctionner depuis qu'il l'avait reçue d'une ancienne flamme, à Paris. À ce moment du jour et de l'année, la température à Montagne Noire flirtait avec les dix-huit degrés. La fraîcheur tombait du soir de janvier comme des étoiles, nombreuses dans le ciel, tandis que le roulement lointain et régulier d'un tambour vaudou, venu de Morne-Zombi, et dont la brise jouait comme d'un bandonéon, achevait d'emplir la nuit de mystères. Le Dr Schwarzberg se leva, encore alerte pour son âge, partit en direction du salon et en ressortit avec une petite laine dont il recouvrit les épaules de sa jeune parente qui ne s'attendait pas à tomber sur un climat aussi frais dans la Caraïbe. Après s'être rassis, il attrapa son verre d'une main tout aussi ferme. Le rhum passa avec facilité, glissa le long de sa gorge, descendit par l'œsophage, avant de revenir irriguer son cerveau de souvenirs qui lui parurent ramenés de la veille tant la vie, même s'il sut en profiter, avait filé avec empressement.

Voilà comment, bercé par le va-et-vient discret du rocking-chair et la bise de l'hivernage caribéen, le vieux docteur s'était mis à parler, parler, parler… déroulant la bobine de sa vie comme l'échappée d'une rivière sur son lit de galets. Avec tour à tour des coulées lentes et des bonds en avant, des détours insouciants ou des équipées rectilignes. Des flots de mots, qui revenaient parfois sur eux-mêmes. Puis des silences, à la poursuite d'une mémoire parfois versatile. Des silences au bout desquels sa voix prenait l'intonation d'oncle Joe – qu'il repose en paix ! « *Aleha hashalom* », répondit Deborah qui, tout en buvant sa parole comme une disciple celle de son maître, faisait honneur au rhum brun et aux plats variés que la servante avait laissés sur la table basse en acajou. S'appuyant à peine sur ses questions, le vieux docteur survola les épisodes que la grande Histoire et la chronique familiale avaient déjà portés à la connaissance de la jeune femme, pour s'arrêter davantage sur les chapitres en relation avec Haïti. Il prit soin toutefois de commencer par le commencement, à savoir le rôle qu'avait joué *De l'égalité des races humaines* dans sa vie et, d'une certaine façon, celle de la tribu Schwarzberg. Tout était parti de ce livre rapporté à la maison par oncle Joe, à une époque où lui, Ruben, n'avait pas encore vu le jour, un livre dont sa sœur Salomé s'était inspiré pour lui donner son prénom. C'était par là qu'il fallait commencer.

HAÏTI, HAÏTI

« *Si un étranger vient séjourner avec toi,
dans votre pays, ne le molestez point. Il
sera pour vous comme un de vos compatriotes, l'étranger qui séjourne avec vous,
et tu l'aimeras comme toi-même...* »

Lévitique, XIX, 33-34

1

Port-au-Prince, 1939

Après deux semaines en mer, le Dr Ruben Schwarz-berg éprouva, à l'approche de l'île, un sentiment étrange qu'il aurait du mal à décrire de façon précise, quelque chose à mi-chemin entre l'espoir qui lui tendait les bras et le remords d'avoir laissé tant d'autres derrière, là-bas dans les ténèbres. Un tourbillon de vertige et de liberté, charrié par l'air non pas du large, mais de la ville aperçue à l'horizon, se précipita à sa rencontre, l'enivrant de l'odeur des rêves à venir. Le vieux docteur se souvint que, un instant, il crut défaillir, mais il eut le réflexe de s'agripper au bastingage. Ce n'était point l'ivresse de l'arrivée, après la longue traversée dont il avait eu du mal à imaginer le terme, non ; sans avoir le pied marin, il n'avait pas souffert de nausée ni de mal de mer. Ce qu'il avait ressenti, c'était un sentiment autre, beau telles les premières lueurs de l'aube après une nuit interminable de cauchemars, ou les câlins et les pâtisseries de Bobe, après un bobo de l'enfance, comme ce jour où un camarade de classe l'avait traité de sale youpin et qu'il avait décelé la haine derrière les mots dont il ignorait lors le sens. Ce fut un mélange de cet ordre-là, doux-amer, qui l'avait suivi jusqu'au débarquement, malgré les yeux grands ouverts sur les gens et le paysage autour de lui et qui l'avait fait prêter une oreille distraite aux propos du cousin de madame Faubert venu l'accueillir.

Les premiers pas dans sa nouvelle identité dépassèrent en tous points ses attentes : Port-au-Prince, pour le recevoir, sortit le grand jeu, à l'instar d'une maîtresse parée à satisfaire le moindre de ses désirs. Le lendemain de son arrivée, il plut trois jours et trois nuits d'affilée, dans un déchaînement d'éclairs zébrant le ciel et de tonnerres assourdissants, pas loin de ceux que fit crépiter Iahvé pour jeter la confusion au milieu des Philistins en ordre de bataille contre les enfants d'Israël, le tout accompagné du précipité impétueux de torrents d'eau boueuse, qui s'engouffraient avec rage dans les ravines et les ruelles, emportaient dans leur coulée des troncs d'arbres, des carcasses d'animaux gros et petits, toutes sortes de tailles de débris, transformaient les arrière-cours en bassins où venaient barboter canards et crapauds-bonga pendant les moments d'accalmie, d'absence de la pluie partie reprendre des forces avant de revenir avec encore plus d'intensité. On aurait dit la fin des temps. Et face à cette fureur aveugle de la nature, l'indifférente quiétude des adultes et la danse des enfants aux allures de rite festif, tel un jamboree géant où l'eau, en profusion, se substituait au feu.

C'était la première fois que le Dr Schwarzberg voyait des enfants saluer avec autant de ferveur la tombée de la pluie. Ils couraient torse nu, certains dans le plus simple appareil, sous les gouttes drues et chaudes, riant et chantant à pleins poumons : *Lapli tonbe,m a ba w bonbon ! Lapli tonbe,m a ba w bonbon !* Et comme pour exaucer leurs vœux, salivant à l'idée des bonbons promis par les gamins, la pluie redoublait d'ardeur tandis que ces Gavroche caraïbes, savon en main, allaient se placer sous les gouttières des maisons, se décrassant avec énergie, avant d'être éjectés par d'autres qui souhaitaient profiter eux aussi de la place royale, du jet puissant et tiède qui déboulait du toit, les plus grands se moquant de la taille du sexe des plus petits : « Eh ! remballe ton ver de terre. » Et les autres de s'esclaffer, pendant que le souffre-douleur boudait ou, intrépide, dénonçait les vertus microscopiques de la mère du moqueur, faisant tourner le vent de son côté, avant d'être consolé par le plus costaud, qui le réintégrait ainsi dans le groupe.

Les violentes pluies tropicales furent l'une des plus belles découvertes du Dr Schwarzberg, habitué aux lents et ennuyeux crachins d'automne. Ces rideaux verticaux, abondants, opaques de l'épaisseur et de l'entrelacement des gouttes, lui arrachaient des sentiments troublants qui le laissaient parfois les yeux embués de larmes. Il pouvait rester des heures à regarder la terre soupirer d'aise et de vapeurs âpres, puis déborder d'odeurs et de miasmes sous les mille et un braquemarts des orages, des odeurs qui se précipitaient avec force vers ses narines, les emplissaient au point de lui enlever la sensation de pouvoir respirer. Puis, dans le rafraîchissement de l'air et l'humidité qui suivaient, on lui apportait une tisane fort sucrée à base de gingembre pour se réchauffer le sang ou les os, servie par la maîtresse des lieux en personne ou par une servante. Entre son français à l'accent inconnu et les premiers mots créoles du Dr Schwarzberg, la bonne mettrait plusieurs jours à comprendre et à admettre qu'on puisse boire sa tisane sans sucre, comme s'entêtait à le lui réclamer le docteur blanc.

À l'arrivée dans la capitale haïtienne, le cousin de madame Faubert avait hébergé le Dr Schwarzberg dans sa grande villa style gingerbread au Canapé-Vert, un quartier résidentiel fort boisé, où les seuls hommes en bras de chemise et les seules femmes sans parure qu'on croisait dans les rues faisaient partie du personnel de service. Avec ses maisons à étage, construites dans un mélange de briques ocre et de bois, ses larges vérandas aux balustrades en bois dentelé où, en fin d'après-midi, les maîtresses de maison et les jeunes filles à marier en robe de taffetas sirotaient des boissons fraîches, tout en brodant et en papotant avec leurs invitées, le quartier répandait un charme désuet venu lui rappeler les vieux clichés en noir et blanc du ghetto de Varsovie de la fin du XIXe siècle, qu'enfant il admirait dans un livre de photos qui trônait dans le salon, au-dessus de la cheminée, juste à côté de la *ménorah*. Ses interlocuteurs parlaient un français précieux, qui semblait sorti tout droit d'un précis de grammaire, loin en tout cas de celui plus rêche, plus vulgaire, plus vivant aussi des rues de Paris ; un français comme l'aurait adoré sa mère, pour qui cette langue était restée définitivement figée dans les romans de Flaubert et de Stendhal. Toute tentative de l'adapter au XXe siècle était considérée impie.

Le Dr Schwarzberg n'avait pas fini de débarquer que le Dr Salomon, aussi affable que sa cousine, lui trouvait un poste au service de médecine générale de l'hôpital de l'université d'État d'Haïti. « On ne laisse pas un diplômé de l'École de médecine de Berlin dans la nature. Quand on connaît la qualité des universités allemandes ! Sans compter que le pays a un grand besoin de médecins. Ce ne serait même pas une faute éthique, mais un crime patriotique. » Lorsque Ruben tenta de le remercier, le cousin de madame Faubert répliqua : « C'est un service que tu rends au pays, mon cher. » Difficile, dans l'histoire, de dire qui rendait service à qui. Le vieux Dr Schwarzberg se souvint que s'occuper des petites et grandes misères physiques des autres, une semaine après son arrivée, l'avait aidé à ne plus penser aux siennes, à une vitesse dont lui-même s'étonnait encore.

Gynécologue de profession, le Dr Salomon sortait de la quarantaine et portait beau, avec les tempes grisonnantes, une moustache taillée au cordeau, dont il prenait un soin jaloux et de fines lunettes à monture dorée, qui lui laissaient un air d'intello, rôle qu'il savait interpréter avec un talent consommé auprès de ces dames. Malgré son statut d'époux et de père de famille attentionné – un garçon en internat de médecine, comme papa, et deux jumelles qui achevaient le brevet supérieur chez les sœurs de Sainte-Rose-de-Lima –, l'homme jouissait d'une réputation de Casanova. Un sport national, comme le nota très vite le Dr Schwarzberg, dont les conjointes officielles semblaient, en apparence, s'accommoder sans mélodrame ni tralala. Il n'était pas rare en tout cas de voir, un dimanche midi, déjeuner à la table familiale un enfant du dehors – comme on appelle ici les fils naturels – à côté d'un frère ou d'une sœur « du dedans » du même âge ; tout comme de voir un gosse porter, réunis en prénom composé, les nom et prénom de son père naturel marié par ailleurs, et qui avait refusé de le reconnaître légalement. La maîtresse bafouée jurait ses grands dieux que ce n'était pas pour elle, mais pour le petit innocent venu au monde sans avoir rien demandé à personne, et prenait ainsi sa revanche, mettant, sinon le père réel ou supposé devant ses responsabilités, du moins toute la ville au courant, surtout si le coupable était quelqu'un de connu. Le cousin d'Ida Faubert profitait souvent de leurs sorties entre hommes pour rencontrer sa flamme du moment, le rendant ainsi le complice involontaire de ses frasques amoureuses, ce qui mettait le Dr Schwarzberg mal à l'aise vis-à-vis de l'épouse et de la famille. Pour se sentir moins redevable, et donc obligé de suivre le bonhomme et de lui servir d'alibi, il insista pour lui verser un loyer que celui-ci n'accepta que sous la menace d'un déménagement à l'Oloffson, un grand hôtel à la mode, planté à une dizaine de minutes de marche de la place du Champ-de-Mars et du palais présidentiel.

Au-delà de ces subtilités culturelles locales qu'il pénétrerait au fur et à mesure, le Dr Schwarzberg se sentit tout de suite bien dans la ville et ses environs, qu'il parcourait en fin de semaine, en dehors des heures de garde à l'hôpital, véhiculé tour à tour par le cousin de madame Faubert, par l'un ou l'autre de ses amis, qui se battaient pour lui faire les honneurs de la capitale. Le Dr Salomon l'introduisit dans la bonne société de Bourdon, Pacot, Pétion-Ville, l'emmena en villégiature à Thomassin, Kenscoff, Furcy… de surprenants sommets noyés de brouillard, de fraîcheur et de verdure, qui n'avaient rien de la géographie tropicale comme il se l'imaginait. De temps à autre, à la demande insistante de Ruben, les deux hommes échangeaient la voiture automobile contre le tram afin de se mêler à la population, d'aller à la rencontre du pays d'en bas. Il promenait alors ses yeux sur tout et tous, il voulait comprendre. Il savait que cela nécessiterait beaucoup de temps, une vie, sans doute. S'approcher de la vérité d'un seul être humain, a fortiori d'un peuple, requiert de l'empathie et de la patience mêlées. Il était déterminé à y arriver.

Afin de réussir son pari, il s'affranchirait peu à peu de la tutelle du Dr Salomon, qui se dressait comme un écran géant entre lui et le pays réel, pour partir de lui-même, tantôt en train, tantôt en voiture avec chauffeur, à l'exploration du pays « en dehors ». Il tenait à s'approcher de la vision du monde de ceux qui mastiquaient mal, voire pas du tout le français. Il se rendit compte très vite qu'on ne pouvait sentir le pays réel sans connaître le créole, qu'il apprit avec une rapidité qui lui valut l'admiration de tous, y compris de ceux-là qui le dissuadaient de se mettre à ce patois, inutile partout ailleurs, même de l'autre côté de la frontière.

Ces visites guidées ou solitaires confirmèrent les sentiments éprouvés dès ses premiers pas sur ce bout d'île, quelque chose qu'il aurait du mal à expliquer de façon rationnelle : l'intime conviction de se retrouver enfin à la maison, après un long temps d'errance et de péripéties. La découverte du pays réel lui apporta l'impression que cette terre entrait dans la composition de sa chair, qu'il n'avait vécu jusque-là que pour la rencontrer. Oncle Joe dirait plus tard qu'il s'était fait avoir par les boniments du poète Roussan Camille.

Voilà comment, trois mois après son arrivée, le Dr Schwarzberg brûla son dossier de demande de résidence aux États-Unis, sans en toucher mot à la famille, oncle Joe excepté. Cela le concernait lui, et lui seul. L'envie l'avait pris un jour en début de soirée. Il était rentré de l'hôpital, fourbu, mais heureux d'une journée de travail débutée sur le coup de sept heures du matin. Il en avait ramené la sensation d'être plus utile qu'il ne l'aurait jamais été à Berlin, même sans la folie nazie. Il s'était installé sur la terrasse, dans un de ces fauteuils à bascule que les Haïtiens appellent dodine, un accessoire nouveau pour lui, qui lui permettait de décompresser après les longues journées de consultation. La baie de Port-au-Prince s'étendait à ses pieds, à demi noyée par le bref crépuscule en fin de parcours. Il s'était versé un verre de rhum vieux, en avait avalé une bonne rasade, comme maintenant face à Deborah, avait craqué une allumette et mis le feu au dossier de plusieurs pages qu'il avait regardé se consumer, puis se réduire en cendres. Le papier avait cramé très vite, avant même qu'il n'ait eu le temps de siroter une troisième gorgée du nectar de canne. Il avait ressenti un énorme soulagement, comme après s'être débarrassé d'un lourd fardeau. Le lendemain, il s'était réveillé dans la peau d'un homme nouveau : celle d'un Haïtien, pas tout à fait un natif-natal, puisqu'il n'avait pas vu le jour dans le pays, mais pas loin.

2

La proie

Tout à la découverte de sa nouvelle patrie, le Dr Schwarzberg en oubliait presque ceux de sa communauté, un mot dépourvu de sens dans l'île où les alliances se faisaient et se défaisaient au gré des fortunes et des générations, où les sangs étaient mêlés malgré eux depuis le duc d'Antan, où tout un chacun, grattant un peu, trouverait une goutte d'hémoglobine noire ou mulâtre par la grâce d'un bisaïeul ou d'une trisaïeule, où, par le pouvoir de la langue créole, tout être humain était un nègre, foutre, où tous les corps répondaient présent à l'appel du tambour de Guinée comme de l'accordéon et du banjo de la contredanse.

Au fil des accostages des bateaux venus du Vieux Continent, après de longs détours parfois, le flot de réfugiés avait continué d'augmenter jusqu'à atteindre plusieurs centaines. Parmi eux, Otto et Schlomo Salzmann, des Autrichiens rencontrés un dimanche à la plage, dont l'histoire, faite d'errance aux quatre coins de l'Europe et d'épisodes rocambolesques, rappelait celle du Dr Schwarzberg. Il les avait entendus parler leur drôle d'allemand, à l'accent si différent de celui de Berlin, et les avait abordés. Grâce à Otto, le neveu, un gars de son âge à l'humour décapant, le seul avec lequel il resterait en contact jusqu'au bout, Ruben fréquenta un temps d'autres réfugiés qui lui ouvrirent leur porte. Certains avaient débarqué voilà deux ans déjà, d'autres plus récemment. Avant de s'en aller, les plus chanceux avaient eu le temps de placer à l'étranger une partie de leurs avoirs, qu'ils avaient rapatriés, par la suite, en Haïti. La plupart étaient arrivés les mains nues ; déjà, ils s'étaient approprié l'espace, la langue et les mœurs, bonnes et mauvaises, tutoyaient le misérable comme le nanti. Le Dr Schwarzberg garderait quelques liens avec ceux-là, dont certains deviendraient plus tard des patients, mais refuserait de les voir en dehors du cadre professionnel.

Ce n'était pas par volonté de se désolidariser du groupe, ni d'effacer de sa mémoire ce qu'il avait vécu et qui, certaines nuits, s'invitait dans ses cauchemars. On ne pouvait pas tout oublier, il le savait ; les paroles de Johnny résonnaient souvent en écho de ces nuits-là. Ici, on dit : ce qu'on ne peut pas porter, on le traîne. Voilà, il traînait ce passé avec lui et le traînerait sans doute toujours, mais il refusait de passer sa vie à se lamenter sur son sort, à ruminer le mal qu'on lui avait fait. Il voulait regarder vers l'avant, continuer à vivre, pour lui, pour les siens. C'était sa façon de ne pas offrir une seconde victoire au petit caporal et à sa meute de sanguinaires.

À l'arrivée du Dr Schwarzberg, le pays sortait de dix-neuf années d'occupation états-unienne, qui avait marqué de son empreinte le tissu social et laissé un profond traumatisme collectif derrière elle. Cinq ans après le départ des *marines*, cela s'entendait encore dans les débats publics et privés. Les opposants de l'Occupation accusaient les envahisseurs d'avoir exacerbé les tensions de classe et de couleur héritées de la colonisation, remis à l'ordre du jour les vieilles zizanies Noir/Mulâtre, renforcé l'arrogance séculaire de l'un, l'amertume et la soif de revanche sociale de l'autre.

Le Dr Schwarzberg ne mit pas long à s'en apercevoir : à l'hôpital, dans les ministères comme dans le reste de la fonction publique, les postes de décision semblaient revenir de droit à une minorité, les Mulâtres, reconnaissables à leur peau moins sombre et aux cheveux moins crépus, quitte à forcer sur la vaseline, encore que, pour certains, il fallait chercher à la loupe la différence avec la masse. Mais, ici, les multiples nuances épidermiques, dans lesquelles le pauvre docteur se perdait, revêtaient une importance considérable, pouvant décider de l'appartenance sociale, et donc du destin d'un individu. Comment diable ces hommes et ces femmes s'y étaient-ils pris, en plus d'un siècle d'indépendance, pour échapper, selon le mot d'un poète ami de Roussan, à la malédiction des fils de Cham ? Outre la pratique de l'endogamie, ils devaient – se dit Ruben à part soi, sans oser en parler au Dr Salomon, un Mulâtre bon teint – détenir le record mondial du mariage consanguin, auquel il fallait ajouter une tendance béate à livrer leur fille ou leur sœur au premier petit Blanc venu sans s'inquiéter de ses origines, alors qu'ils l'auraient refusée à un compatriote noir de la même souche sociale. Quant aux Mulâtresses, leur nombre limité avait fait exploser leur cote sur le marché de l'offre et de la demande en mariage. Chaque famille mulâtre en avait une en réserve, divorcée ou fille-mère, la putain de la République pour les mauvaises langues, dont le rôle était de rabattre au profit du clan les hommes politiques noirs, avec à la clef l'octroi de monopole sur l'import-export, de parts de marché public sans appel d'offres, don de villa avec piscine au pays, d'appartement à l'étranger, Paris ou New

York si possible… tout ça pour mériter, le temps de leur mandat, la fréquentation de l'entrecuisse de madame.

La prise de conscience de cette réalité troubla le Dr Schwarzberg : que pouvait-il reprocher à ces gens qui lui avaient réservé un accueil si chaleureux, et dont le mépris de classe et de couleur ne l'affectait pas à titre personnel ? Rien. D'ailleurs, convaincus d'être des progressistes, certains d'entre eux seraient parmi les premiers, un an plus tard, à pousser le gouvernement d'Élie Lescot à déclarer la guerre au IIIe Reich, au nom de l'idéal d'égalité inscrit dans la première Constitution de la nation. Peu mondain, le Dr Schwarzberg allait désormais à reculons dans les beaux salons où il avait, de surcroît, la sensation déplaisante d'être un animal de foire : « Ah ! vous êtes le docteur de Berlin. L'Allemagne est un grand pays, on adore tout ce qui est allemand chez nous. » À quoi bon alors faire remarquer à son interlocuteur qu'il en avait été chassé comme un malpropre, après avoir failli y laisser la peau ?

Mais le pire restait à venir, et ce fut au cours d'une soirée à Bourdon, à la résidence de l'ambassadeur de France, où l'avait entraîné le cousin d'Ida Faubert. Ce n'était pas la première fois qu'il se sentait la proie dont rêvaient pour leur progéniture les parents des jeunes filles de bonne famille. En moins d'un an, il était passé du statut de rat dont il fallait débarrasser la face de la Terre à celui de race élue, de circoncis interdit d'approcher une Aryenne à celui de gendre idéal, convoité, courtisé. Ça l'avait amusé un temps, il n'allait pas jouer les vierges effarouchées, puis très vite lassé. Ce soir-là, une matrone d'un certain âge, que la décence empêchait de soupçonner de prêcher pour sa chapelle, s'était approchée de lui. Entre une coupe de champagne et un feuilleté au saumon, elle l'avait interrogé sur sa situation maritale : pourquoi un homme avec une si belle situation n'avait-il pas encore fondé une famille ? Dans la foulée, la proposition de lui présenter une fille « tout ce qu'il y a de plus mignonne et plaisante, famille respectable avec ça », ne manqua pas d'arriver. « Un bon mariage, c'est ce qu'il faut pour t'asseoir un homme », dit la matrone, la bouche encore pleine d'un *kebbeh* attrapé au passage d'un serveur.

C'est le moment que choisit un homme un brin pompette, qui suivait la conversation à distance, pour intervenir. Peut-être le docteur avait-il laissé une fiancée à Berlin ou à Paris ? « La Parisienne, ça se sait, n'a pas froid aux yeux ; ailleurs non plus, même si, à ce propos, sa réputation est plutôt surfaite. Elle n'arrive pas aux chevilles de la Caribéenne », fit l'homme, en cherchant des yeux l'approbation de l'assistance masculine, avant de lâcher un rire gras. « En tout cas, s'en remettre à une seule femme, cher docteur, c'est la porte ouverte à tous les abus de sa part. La dictature n'est pas loin. » Deux verres de whisky plus tard, l'homme en rajoutait une couche et s'inquiétait de l'orientation sexuelle de Ruben :

« Tu ne serais pas pédéraste, par hasard ? (Le tutoiement arrivait très vite sous ces latitudes.) Remarque, je n'ai rien contre ceux qui préfèrent ces pratiques contrenature. Au contraire, ça nous en laisse même plus, si tu vois ce que je veux dire. Mais ce serait dommage : les femmes sont tellement bonnes ici. »

Depuis ce soir-là, où Ruben avait interrompu les baguenauderies du Dr Salomon avec une cocotte déjà sous le charme, afin qu'il le ramène à la maison, il avait toujours une excuse à disposition pour refuser les invitations : son côté taiseux, qui n'en faisait pas une compagnie agréable, ses piètres aptitudes de danseur, une tare dans ce pays, un patient à voir à la dernière minute…

Voilà comment le Dr Schwarzberg allait acquérir sa réputation d'ours de Montagne Noire qui, aux mondanités tropicales, préférait la compagnie des gens de peu ou, mieux encore, la tranquillité de sa véranda ; la même où il recevait, en ce soir de janvier 2010, la petite-fille de sa tante Ruth. « Mais ne nous éloignons pas trop », fit le vieux docteur, de peur de perdre le fil de son récit ou que celui-ci ne se rompe à force de l'étirer dans des digressions à répétition. Le temps d'avaler une gorgée de rhum, il devait en être à son troisième verre, et d'apprécier le chant voisin des anolis rivalisant avec la musique des tambours vaudou, qui tombait en accordéon de Morne-Zombi, il était prêt à repartir, non sans avoir précisé : « L'avantage avec le grand âge, c'est qu'on sait qu'on va mourir de quelque chose, autant que ce soit par le rhum. »

3

Les retrouvailles

Il s'était écoulé neuf mois depuis l'arrivée du Dr Schwarzberg en Haïti, et l'engouement pour son travail n'avait pas
cessé de croître. Il en avait fait un quasi-sacerdoce, au point
de susciter la jalousie de collègues moins altruistes qui
l'accusaient *sotto voce* d'aller à la pêche à la renommée
que le petit peuple de la capitale, ayant bénéficié de sa
science, se faisait fort d'alimenter. Déjà tout Port-au-Prince
bruissait de son nom et de ses miracles. Tantôt il avait
guéri une femme rongée de l'intérieur par un mal inconnu
et qui s'en allait, voilà des années, de médecin patenté en
docteur-feuilles, de chapelle protestante en temple vaudou
– ce n'était pas la peine de s'adresser aux prêtres qui, à
part l'extrême-onction et trousser les fillettes, ne savaient
rien à ces choses –, sans jamais trouver de soulagement…
jusqu'à la rencontre avec le Blanc allemand ; depuis elle
gambadait comme un cabri. Tantôt il avait soigné un enfant
atteint d'un cancer métastasé en phase terminale, dont les
parents, après avoir dilapidé leurs maigres biens en quête
de guérison, avaient passé sept jours et sept nuits à jeûner
et prier en vain sur La Montagne, quand il n'avait pas
ressuscité un vieillard cacochyme à l'article de la mort.
Certains lui prêtaient le pouvoir de guérir des maux sans
nom, dont l'étrangeté avait montré les limites de la science,
mais que lui seul avait réussi, par sa seule présence, à

extirper des entrailles du malade comme le Christ les démons du corps d'un possédé devant la synagogue. Son travail avait rencontré un tel succès que lorsqu'il était de service, c'est-à-dire six jours sur sept, ça se voyait depuis la rue, où la file des patients, dont certains avaient attendu parfois la nuit entière pour être sûrs de passer en consultation avec lui, arrivait jusque sur le trottoir après avoir traversé la grande cour de l'hôpital. Lui ignorait tout de ces légendes urbaines, sauf une fois où une infirmière lui en avait rapporté une, lui arrachant un sourire incrédule. Et comme si les dix heures quotidiennes à l'hôpital ne suffisaient pas, il y avait ajouté des cours à la faculté de médecine. C'était sa manière de rendre une partie de ce qu'il avait reçu et continuait de recevoir.

Voilà où en était Ruben de son adaptation lorsque son ami Roussan Camille débarqua à Port-au-Prince : l'occupation de la France par l'Allemagne et l'éclatement de la guerre en Europe avaient renvoyé le poète au pays natal. Le bateau qui le transportait vers la Perle des Antilles – un surnom ramené du temps de la splendeur économique de l'île – avait mouillé pour une escale dans le port de Casablanca, au Maroc. N'ayant point perdu ses bonnes habitudes de fréquentation des lieux nocturnes, le poète-diplomate fit un saut dans un bouge où la danse d'une jeune prostituée éthiopienne, sous le regard concupiscent de marins et de bidasses blancs, lui inspira le poème « Nedje » auquel son nom resterait à jamais associé. Paru dans son premier recueil, *Assaut à la nuit*, il devait connaître un succès sans précédent. Le Dr Schwarzberg fut secoué d'émotion le jour où il entendit son ami réciter ce poème dans une soirée improvisée à Jacmel, connue dans le pays pour être un vivier de grands poètes en plus d'être une magnifique ville portuaire. C'était l'un des plus beaux poèmes qu'il lui avait jamais été donné d'écouter. À force de le lire et relire, il finirait par le retenir, prolongeant ainsi un autre sport national haïtien, qui était de connaître et de déclamer des poèmes par cœur...

Et ce soir de janvier, à l'heure où tout un peuple faisait le deuil de ses morts, Deborah, toute retournée elle aussi, l'écouta déclamer « Nedje » debout sur la véranda, face à la baie, son verre de rhum à la main, les yeux « pleins de pays » et de nostalgie, cherchant les « détours des routes de son enfance » dans la beauté des vers de son ami, les mystères de la nuit et les plaintes des tambours vaudou, qui tombaient à rythme régulier de Morne-Zombi.

La présence de Roussan vint repousser les frontières géographiques et sociales à l'intérieur desquelles évoluait le Dr Schwarzberg. Le poète faisait partie de cette race d'hommes qui ont le talent rare de savoir évoluer avec la même aisance dans un palace comme dans une masure de bidonville, de se nourrir un jour de caviar, celui d'après de semoule de maïs, le plat du pauvre en Haïti, sans une once d'huile ni un gramme de viande, ni la moindre grimace de dégoût. Sous sa tutelle, les nuits de Port-au-Prince n'eurent bientôt plus de secret pour Ruben. Les deux amis passaient du bouge le plus crasseux, où l'on boit du clairin frelaté et se frotte la panse sur la panse d'une fille vieille avant que d'être jeune, le plat des mains dialoguant avec ses fesses qui avaient vu toutes les couleurs de la misère, au son de l'accordéon rance, du banjo phtisique et du tambour d'un trio de troubadours égrenant des paroles grivoises à propos de la chatte poilue et soyeuse d'une certaine Carole, au night-club le plus huppé où des hommes en smoking-nœud papillon et des femmes en robe décolletée et collier de perles trempent leurs lèvres dans du Dom Pérignon présenté sur un plateau par des serveurs en livrée et gants beurre frais, s'effleurent à peine sur la piste de danse, portés par les notes feutrées du big band d'Issa El Saieh, un musicien et compositeur haïtien d'origine palestinienne.

Ruben avait tenu à connaître la ville natale de son ami. Ils y passèrent un week-end de rêve, dans une localité dénommée Ti-Mouillage, entre bains de mer, discussions politico-poétiques, dégustation de homards et de lambis frais pêchés, grillés au charbon de bois, puis relevés de jus de citron vert et de piments z'oiseaux, tandis que leurs yeux se promenaient, émerveillés, sur les sylphides qui émergeaient de l'eau, vêtues d'une simple culotte dont le tissu mouillé soulignait davantage leur féminité, et offrant leurs seins nus aux caresses du soleil. Ils visitèrent aussi le Nord, ses nombreux forts qui avaient gardé les échos des luttes sans merci pour l'Indépendance ; l'imposante citadelle, jamais habitée que par les fantômes de ceux qui l'ont construite, comme l'écrit Carpentier dans le *Royaume de ce monde*. Pendant les longs trajets vers ces destinations, plus à cause de la mauvaise qualité des routes que de la distance réelle, les deux amis purent échanger à satiété, Ruben dans son rôle favori d'apprenti qui écoutait plus qu'il ne parlait. Oreilles et yeux grands ouverts, il n'en finissait pas de se pénétrer de ce pays désormais sien. Un jour, en route vers Ville-Bonheur et sa chute d'eau considérée comme sacrée par les vaudouisants, alors qu'il se félicitait pour la énième fois de la générosité de l'accueil des Haïtiens, Roussan lui dit à brûle-pourpoint :

« Pourquoi tu n'inviterais pas ton oncle à s'installer ici ? La loi sur la naturalisation est encore valable, tu sais. Et même s'il réside aujourd'hui à Cuba, on peut toujours faire valoir qu'il fuyait l'Europe avant d'y arriver. Cela ne devrait pas poser de problème. »

Ruben n'avait pas attendu la question de son ami pour y penser. Depuis son arrivée en Haïti, il restait persuadé que son oncle s'y trouverait aussi à l'aise qu'un requin récif dans la mer Caraïbes. L'atmosphère propice aux affaires, ouverte à toutes les possibilités quand les portes, ailleurs, étaient fermées aux siens, semblait taillée sur mesure pour son oncle. En fin de compte, il avait suffi d'une lettre et d'un télégramme pour convaincre celui-ci de traverser le passage du Vent, le bras de mer qui sépare les deux îles, et de le rejoindre dans la capitale haïtienne. Roussan ayant réintégré le ministère des Relations extérieures, la demande de citoyenneté fut une formalité. Trois mois plus tard, oncle Joe débarquait à Port-au-Prince, après plus d'un an et demi passé à La Havane où, à dire la vérité et malgré les délires du parti nazi cubain, il coulait des jours plutôt agréables et où il serait resté volontiers s'il ne s'était agi de retrouver son neveu. Sa venue, comme celle de Roussan auparavant, ouvrit de nouveaux horizons pour le Dr Schwarzberg.

Grâce à quelques économies, à son bagout et aux contacts du Dr Salomon, oncle Joe se lança très vite dans des affaires en tous genres qui allaient de la construction à la production de vétiver dans le Sud, et à l'importation d'olives pour la fabrication d'huile destinée à la consommation locale, par le truchement des Levantins établis dans le pays… Celles-ci se réalisèrent avec d'autant plus de facilité que la culture de l'île tendait au *one shot deal*, ces transactions à très court terme et sans lendemain, qui voyaient certaines fortunes naître et disparaître sans avoir eu le temps de passer d'une génération à l'autre. Oncle Joe se fraya un chemin royal dans ce petit monde étriqué où les étrangers, blancs de préférence, jouissaient d'une longueur d'avance sur les autres. Homme d'affaires matois, il en joua par moments, sans y croire pour autant : il n'avait pas oublié d'où il venait.

En peu de temps, son savoir-faire le plaça à la tête d'une fortune confortable qui lui permit d'investir, avec un associé local, dans l'ouverture au Canapé-Vert d'une clinique privée à laquelle son neveu apporta la caution scientifique. Le Dr Schwarzberg refusa néanmoins de s'en aller de l'assistance publique : sans cracher sur l'argent, il n'en faisait pas le moteur de sa vie. Il se partagea alors entre l'hôpital, la clinique et les deux cours hebdomadaires à la faculté de médecine. Des activités chronophages et énergivores, qui laissaient peu de place à une vie intime et aux mondanités, au contraire de Roussan et d'oncle Joe, qu'il voyait fréquenter avec assiduité un jeune paysan de Furcy sous prétexte d'intérêt pour l'agriculture en terrasse.

Pour pouvoir accueillir son oncle, le Dr Schwarzberg avait affermé une villa à Montagne Noire, sur les hauteurs de la capitale, à quelques encablures du lieu-dit Morne-Zombi. Établie dans un conglomérat de maisons bourgeoises noyées dans la verdure qui rivalisaient de splendeur à distance respectable les unes des autres, la sienne était l'une des moins tape-à-l'œil et la plus proche du hameau originel où vivaient, pour l'essentiel, des paysans dont certains constituaient le personnel de service des villas. Il l'avait choisie en conséquence, la galerie s'ouvrait sur le golfe de Port-au-Prince où, vue de loin, la mer Caraïbes s'amusait en cours de journée à changer de reflets et de couleurs. À mille sept cents mètres d'altitude, la température restait agréable toute l'année, propice, la nuit, à un sommeil de rêve à l'abri d'une couverture en laine. Trois fois par semaine, voire plus en cas d'urgence, le Dr Schwarzberg prolongeait sa journée de travail en bénévolat auprès des plus humbles du coin, avant de retrouver sa véranda – seul ou en compagnie de son oncle, quand celui-ci était présent –, sa dodine et son verre de rhum.

4

Le petit peuple de Montagne Noire

Le 12 décembre 1941, soit deux ans et deux mois après l'arrivée du Dr Schwarzberg, le nouvel homme fort du pays, le président Élie Lescot, déclara donc la guerre au IIIe Reich et au royaume d'Italie. Des cahutes aux villas huppées, des mornes aux plaines, dans la capitale comme en province, tout le pays fut pris d'hilarité et en même temps d'un immense sentiment d'orgueil. Entre menace bravache et réalité, l'entrée en guerre ne faisait pas peur au peuple, on en avait vu d'autres, entendait-on dire ici et là ; le cul des colons français s'en souvenait encore, qu'on avait botté sans état d'âme par-delà l'Atlantique. Ruben et oncle Joe, tout juste débarqué de La Havane, furent les seuls peut-être à ne pas se moquer du président. Par rapport au coût global, humain et matériel, d'un conflit planétaire, vue de l'extérieur, la participation du bout d'île pouvait paraître dérisoire, même pas une goutte de rhum dans la mer Caraïbes, mais, à leurs yeux, elle avait une portée symbolique inestimable. Et puis, à l'échelle nationale, elle valait son pesant de prestige et de voix pour les prochaines joutes électorales.

Un an et demi plus tôt, l'appel du général français Charles de Gaulle était venu remonter dans notre estime l'image d'une France qui avait courbé l'échine et plié

223

genoux au premier coup de canon teuton. Dans le pays, les généraux qui avaient du lourd dans leur pantalon de fer, ça, on aimait, et cette grande perche à particule semblait avoir deux graines aussi lourdes que des melons. Aussi plusieurs de nos compatriotes volèrent-ils au secours de la France, comme en 1870 ou en 14-18, quand les Haïtiens, pas rancuniers pour un sou, étaient partis se faire écharper à coups de baïonnettes et de gaz moutarde pour les beaux yeux de l'ex-métropole. Philippe Kieffer, un petit gars de Pétion-Ville que le Dr Schwarzberg avait croisé chez les Salzmann, montra l'exemple et, à quarante ans sonnés, quitta famille et travail de directeur à la Banque nationale pour s'attacher au képi de l'exilé de Londres. Tout Port-au-Prince le voyait déjà à la tête du premier commando à libérer l'Hexagone des bottes nazies. D'autres ne tardèrent pas à suivre ses traces, dont son fils Claude, le petit Toto Bloncourt, natif de Jacmel comme Roussan, et qui, chopé par les Boches, finirait fusillé au mont Valérien…

Pendant ce temps, les discussions allaient bon train dans l'île, entre les tenants de l'extension de notre influence dans le monde et ceux qui jugeaient inutile d'aller verser du sang haïtien pour ces mauviettes qui s'étaient laissé prendre le pays en à peine un mois, après avoir vanté l'étanchéité de leur ligne Maginot que leurs dirigeants avaient eu la bonne idée de faire visiter aux généraux nazis deux ans plus tôt. Nous, on avait tenu dix-neuf ans avec des armes de bric et de broc face à l'occupant yankee, jusqu'à le bouter hors du sol sacré de la première vraie république libre et indépendante de l'Amérique. Si on avait su que choisir le français comme langue officielle après l'indépendance impliquait tous ces sacrifices, on aurait balancé les colons à la mer avec leur foutu patois.

À la fin des fins, ce chapitre ne fut qu'une parenthèse dans la rencontre du Dr Schwarzberg avec l'île
où, au sortir de la guerre, il avait définitivement pris
ses marques. Désormais connu et reconnu des valets
comme des princes, il pouvait s'enorgueillir d'avoir
réalisé en à peine sept ans ce que d'autres mettaient
une vie à obtenir. Il lui manquait peut-être une famille,
comme ne cessaient de le lui faire remarquer les uns et
les autres : parents, grands-parents, sœur et beau-frère
installés aux États-Unis, tante Ruth qui, épanouie dans
sa nouvelle situation conjugale, s'était fendue d'une
missive pour lui expliquer les vertus de la vie de famille,
oncle Joe, ce bambocheur de Roussan, ses collègues…
Même Zule, la jeune servante, s'y était mise qui, un
matin avant qu'il ne parte pour son travail, lui cita la
Genèse : « Docteur Ruben, il n'est pas bon que l'homme
soit seul, non. C'est Dieu lui-même qui le dit, oui. »
En dépit de cette « conspiration », il tint bon, ce n'était
pas sa priorité.

Le plus important pour lui, c'était de se sentir utile
au petit peuple de Port-au-Prince et de Montagne Noire,
dont l'admiration et le respect pour sa personne mettaient
à rude épreuve sa modestie. Il avait négocié et obtenu de
l'associé de son oncle de pouvoir profiter du matériel de
la clinique et de traiter certains cas difficiles sur place,
sans bourse délier. D'où le plaisir à se retrouver, en fin
de semaine, avec des gens qui ne feignaient pas de s'intéresser à lui à cause de son statut social, ne cherchaient
pas à lui en mettre plein la vue, comme les bourgeois,
petits et grands, de la capitale et de Pétion-Ville ; de
partager avec eux, au hasard d'une visite médicale sans
gravité, une partie de dominos, un verre de rhum ou de
tafia, ou une tasse de café sucré. On n'offrait du café

amer à quelqu'un que si on avait un compte à régler avec lui. Le jour où il réclama du thé, sans raison apparente, un enfant rapporta dans tout le hameau que le docteur ne s'était pas senti bien, il devait avoir une cacarelle carabinée ou une mauvaise fièvre. La rumeur avait fini par arriver aux oreilles de Zule qui s'en était ouverte auprès de lui, inquiète pour sa santé. Le Dr Schwarzberg apprit alors que, dans son nouveau pays, on buvait du thé seulement en cas de maladie ; à tout le moins, le soir avant de s'endormir, on pouvait s'offrir une tisane de citronnelle bien sucrée afin d'adoucir le sommeil.

Pour ses consultations gratuites, le petit peuple de Montagne Noire le repayait souvent en nature, ou en services rendus qu'il lui imposait presque. Il arrivait ainsi que deux hommes se présentent au même moment dans sa cour, machette à la main, et entreprennent de nettoyer le jardin, sarclant, arrachant mauvaise herbe et brindilles mortes, piquant et retournant la terre, plantant à tour de bras sans lui avoir demandé son avis. Et comme ses obligés ne supportaient pas l'idée d'un jardin décoratif, rien qu'avec des fougères, des bougainvilliers, des orchidées, des hibiscus, des halliers de ce genre, le Dr Schwarzberg se réveillait un matin et trouvait, faisant de l'ombre à ses fleurs, un bananier, un papayer ou un citronnier qui semblait avoir poussé dans la nuit, d'un seul coup, comme dans les contes de fées de son enfance. À défaut de s'en prendre à quelqu'un, il ne savait jamais qui remercier ou payer. Le garçon de cour, lui, se gardait bien de l'en informer, trop heureux, ces jours-là, de passer un rapide coup de balai avant d'aller piquer une sieste ou conter fleurette à la petite marchande de friandises du coin.

Parfois, c'était une femme qui débarquait sans crier gare, avec la ferme intention de faire le ménage à la maison, déclenchant par la même occasion le courroux de la servante attitrée, qui voyait dans la présence de l'intruse une manœuvre pour lui subtiliser son travail, plutôt bien rémunéré, avec en plus des avantages sociaux difficiles à trouver chez les employeurs locaux : consultation médicale gratuite pour elle et sa famille, congé payé, journée de travail avec un début et une fin… Un jour que l'importune avait refusé d'entendre raison, en un mot de vider les lieux, cela s'était terminé par un crêpage de chignon en bonne et due forme et une litanie de mots créoles dont le Dr Schwarzberg, présent par inadvertance, n'eut aucun mal à saisir le sens général : une maman insultée ou une femme de petite vertu le sont dans toutes les langues du monde. Il dut recourir aux bons offices du chauffeur comme juge de paix, mais contre lequel, après avoir remisé leurs rivalités, les belligérantes s'étaient retournées ; elles l'avaient estimé, de par son statut, incompétent en la matière. Le pauvre docteur n'eut d'autre choix que d'intervenir lui-même, en essayant de cerner l'origine du conflit et la manière d'y mettre fin. Mais il n'avait pas, en tant que docteur et patron, à se rabaisser à des commérages pareils, le gronda la bonne. Il finit néanmoins par aboutir à un accord de paix au bout d'une demi-heure de palabres agrémentées de « ti' chérie », « ma commère », « cocotte », afin de calmer les deux va-t-en-guerre. Loin d'avoir renoncé, l'indésirable reviendrait à la charge, contournant le problème en déposant sur la galerie, en l'absence de sa rivale, des plats déjà préparés qu'elle imaginait au goût de son bienfaiteur et que Zule, les découvrant, balançait aux chiens errants ou enfouissait sous terre de peur qu'il ne s'agisse d'un manger-arrangé placé là par quelqu'un qui voulait du mal à son patron.

Il n'était pas rare non plus que le Dr Schwarzberg trouve des fruits et des vivres de saison, des noix de coco fraîches, voire un poulet, un dindon ou un cabri attaché à un arbuste au bas de la véranda, selon que son intervention avait sauvé une vie ou une famille de l'endettement. À un moment, le bruit courut dans la montagne qu'il était juif. Personne, dans le coin, ne savait à quoi ressemblait un Juif, ni ne voyait la diffé-rence avec un Mulâtre tête-cannelle ou un « Syrien », sauf qu'il devenait plus rouge au soleil et son visage peintelé, tout piqué de taches noires, pareil à une mangue trop mûre, mais tout le monde savait que le Juif ne consommait pas de porc, et tous trouvèrent dommage, là non plus sans lui demander son avis, de ne pas pouvoir lui en offrir, car un bon grillot de cochon bien épicé, ça ne se refuse pas. Ils comprenaient encore moins la distinction entre être juif et de confession juive, comme tenta de le leur expliquer Doc Ruben, mais ce qui les préoccupait le plus, c'était de savoir si on pouvait être juif et vaudouisant à la fois, servir Yahweh et Grand Maître, Abraham et Atibon Legba, un compromis trouvé de longue date avec la religion catholique.

Tout ça paraissait d'autant plus compliqué que, un soir où il avait un verre de tafia de trop dans le nez, le Dr Schwarzberg leur avoua ne pas croire en Dieu, enfin, pas tout à fait. À la vérité, il était agnostique, un autre concept qui échappait à ses fans. Pour eux, on était croyant ou on ne l'était pas. D'ailleurs, « tout le monde est croyant, même ceux qui prétendent ne pas croire », fit l'un deux, au cours d'une interminable partie de dominos, ponctuée de discussion métaphysique. Ce qui était une manœuvre pour déconcentrer l'adversaire. Agnostique – un mot que son contradicteur eut du mal à prononcer –, s'il avait bien compris, c'est comme si on disait ne pas être ni un homme ni une femme. « Même dans le monde végétal, on trouve des mâles et des femelles. Il y a des manguiers qui donnent des fruits, et d'autres pas. C'est comme pour la question de couleur, l'empereur Jean-Jacques Dessalines avait tranché en déclarant tous les Haïtiens des nègres. Et un autre Jean-Jacques, Acaau, avait décrété mulâtres les nègres riches et nègres les mulâtres pauvres. Point barre. » Et l'homme de poursuivre que ceux qui se disaient non-croyants étaient les premiers à prier en cachette quand ils étaient dans la mélasse. Ce à quoi le Dr Schwarzberg, par souci d'honnêteté, répondit qu'il lui arrivait de réciter des prières de son enfance sans y croire vraiment. « Eh bien, voilà, Doc. Maintenant, tu nous dis les choses. » « Voilà ! » exulta-t-il en déposant avec force sur la table le dernier domino qui lui apportait la victoire. Dans ce pays où la foi était à ranger au même plan que le rhum, la geste de l'indépendance ou le fleuve Artibonite, le Dr Schwarzberg comprit qu'il se devait de choisir son camp.

En dépit de ce désaccord de taille, personne ne mettait en doute l'haïtianité du Doc, au même titre qu'un natif-natal de l'île. Son créole s'améliorait de jour en jour, son français, n'en parlons pas. Il pouvait en démontrer à n'importe quel intellectuel bourgeois au parler pointu, ou aux politiciens qui se servaient du français pour embrouiller le peuple. Il avait du riz tous les jours à sa table : aux haricots rouges, au djon-djon, aux pois-France, aux pois-Congo… Il participait aux festivités carnavalesques de la ville comme au rara de la campagne. Certes son coup de reins laissait encore à désirer ; il voulait toujours savoir, avant d'esquisser le moindre déhanchement, la moindre grouillade, combien il fallait de pas à droite, à gauche, en avant, en arrière, au lieu de laisser le rythme envahir ses sens puis son corps tout entier, à telle enseigne que certains, dans son dos, se moquaient gentiment de lui et l'appelaient D^r 1-2-3 pour désigner sa manie de compter les pas en dansant.

Quant au rhum ou au tafia, chapeau bas ! S'ils n'y prenaient garde, le docteur lèverait le coude mieux que beaucoup d'entre eux. Un voisin jura l'avoir vu, au sortir d'une soirée fort arrosée où il avait descendu une bouteille de rhum cinq étoiles, puis s'était rincé la bouche avec quelques petits verres de clairin Saint-Michel, réaliser un accouchement suivi d'une intervention chirurgicale sans que ses mains tremblent un seul instant. Cela s'était su que, en plus d'être juif, du sang polonais courait aussi dans ses veines. Depuis, le petit peuple avait décrété que, en matière de bibine, même le Dominicain, toujours soûl comme un cochon, ne pouvait assurer autant que le Juif polonais. Ce que les habitants du hameau ignoraient, c'est que le docteur avait grandi dans un pays de buveurs de schnaps, et les premières années d'études de médecine, ce tord-boyaux servait à remettre à l'endroit les estomacs délicats qui se retournaient à la vue des cadavres et des corps déchiquetés. Bref, il n'y avait guère que le terrible Papa Ogou Feray et l'intrépide Janmensou auxquels il aurait du mal à tenir tête.

Qu'il soit des leurs, cela ne faisait aucun doute. Il lui restait néanmoins un dernier geste à accomplir pour que le peuple l'adopte tout de bon. « Quoi donc ? » s'était enquis le docteur, désireux de se rapprocher des habitants de Montagne Noire. « Quoi donc ?, avait-il insisté. – Oh, tu sais, Doc, avait répondu l'un deux, sans vouloir ou oser en dire plus, les affaires des petits nègres d'Haïti sont des mystères. » Et la conversation s'était arrêtée là, sur ces mots énigmatiques jetés en passant.

Il finirait bien par savoir, s'était dit le Dr Schwarzberg, sans plus y repenser. Aussi était-il loin de s'attendre à ce qui allait se passer par la suite…

Aujourd'hui encore, alors qu'il s'approchait à pas mesurés du siècle de vie et qu'il goûtait sur sa véranda les retrouvailles avec la petite-fille de sa tante Ruth, il se demandait s'il avait vécu ou imaginé la scène qu'il s'apprêtait à raconter à Deborah, un peu comme ces gens qui, au fur et à mesure que le temps s'éloigne, confondent leurs souvenirs et leurs fantasmes.

5

Le baptême

Un soir de carême, le Dr Schwarzberg fut convié à une fête par ses deux employés, Zule, la bonne, et Prophète, le garçon de cour. L'invitation ayant été lancée la veille, en l'absence d'oncle Joe parti dans le Sud résoudre un problème avec les producteurs de vétiver, il s'était arrangé pour rentrer plus tôt de l'hôpital, tout en sachant que l'Haïtien n'est jamais à une heure près. Ce n'était pas la peine de prendre l'automobile, dit Zule, il n'y avait pas de route carrossable pour arriver là où ils allaient, à Morne-Zombi, le hameau qui surplombait Montagne Noire et où le Dr Schwarzberg n'avait jamais eu l'occasion de mettre les pieds. Et puis, ils n'en auraient pas pour longtemps. Ce qui, dans le langage du paysan haïtien, il le savait, signifiait au moins une heure de marche à pas soutenus. Confiant, il s'engagea à leur suite sur un sentier qui s'enfonçait à travers bois, montait et descendait en continu, pareil au dos d'un chameau à trente bosses. On n'y voyait pas à plus de trois mètres de distance, malgré les étoiles à foison dans le ciel, mais ses deux employés avançaient comme en plein jour : Zule ouvrait la voie, Prophète la fermait derrière eux, avec sur les lèvres la même antienne où il était question du Grand Maître et d'Atibon Legba. Au fur et à mesure qu'ils progressaient, le son de percussions venu de nulle part se rapprochait, avant de s'éloigner, puis de revenir à nouveau, les escortant tout le long du chemin.

Souvent, dès la tombée de la nuit, le vent jouait à apporter sous sa fenêtre le dialogue des tambours, qui ne s'arrêtait qu'à l'aube. De janvier à décembre, la musique ne connaissait pas de répit, au point de lui enlever le sommeil les rares fois où elle venait à manquer. Intrigué, le Dr Schwarzberg en avait touché un mot à Roussan. « Les tambours du vaudou, lui dit son ami, ont toujours accompagné les nuits haïtiennes. Ils rendent grâce aux mystères et aux saints, exorcisent les peurs, meublent l'oisiveté, disent le plaisir d'être ensemble… C'est tout cela à la fois. » Pour éclairer davantage sa lanterne, le poète l'amena un dimanche voir le Dr Jean Price-Mars qui, en plus de sa formation de médecin, était anthropologue et diplomate. La discussion, fort intéressante, avait duré tout l'après-midi. En fait, se souvint le vieux Dr Schwarzberg en souriant, il devrait dire plutôt le monologue, une caractéristique de beaucoup d'intellectuels haïtiens, tant l'auteur du célèbre *Ainsi parla l'oncle* fut intarissable, ce jour-là, sur le culte populaire.

« Tout natif de ce pays, cher collègue, a partie liée de façon directe ou indirecte avec le vaudou, avait-il expliqué, à l'instar de l'Occidental avec le christianisme. Celui qui dit le contraire vous ment, ou se ment à lui-même. C'est comme si un Juif, même athée, vous disait n'avoir jamais entendu parler d'Abraham, des Tables de la Loi, de l'Arche de l'alliance ou de Yom Kippour. »

Une semaine plus tard, pour illustrer les propos du Dr Price-Mars, Roussan l'avait entraîné dans une cérémonie du côté de Jacmel, dans une localité dénommée Montagne-La Voûte. Ce soir-là, Ruben s'était senti comme un voyeur, quelqu'un qui n'aurait pas été à sa place. Pire encore, il eut l'impression d'assister à un ersatz de service vaudou pour donner le change au visiteur indiscret. Tout avait sonné faux : les chansons, les danses, le sacrifice du poulet, la crise de possession surjouée par un mauvais acteur ; les percussionnistes même, chose rare en Haïti, semblèrent sans âme. Et il s'était promis qu'on ne l'y reprendrait plus… jusqu'à cette nuit où Zule et Prophète l'invitèrent à leur fête, qui s'avérait être une cérémonie vaudou.

La *manbo*, la prêtresse des lieux en personne, accueillit le Dr Schwarzberg sur le seuil et le salua avec le respect dû aux notables, en toquant son front des deux côtés contre le sien, sur fond de tambour et de voix qui provenaient de l'intérieur. Lorsqu'ils pénétrèrent dans le temple, éclairé aux lampes-tempête, il y avait déjà foule. Le *oufò* ne différait pas de celui visité à La Voûte. Néanmoins, parmi les objets hétéroclites qui se trouvaient sur l'autel – des chromolithographies de saints catholiques, un crucifix, un fanion avec l'équerre et le compas, des bouteilles emmaillotées de tissus à paillettes, un morceau de silex de forme ovoïde appelé roche-tonnerre, une poupée en silicone… –, le Dr Schwarzberg fut surpris de reconnaître une *ménorah* à sept branches. Loin de dépareiller dans le décor, elle semblait avoir toujours été là, dialoguant avec les autres éléments, participant de l'équilibre général et de la beauté composite de l'autel.

Les tambours vibraient déjà d'aise, rivalisaient de sonorités sous les doigts experts de trois percussionnistes en sueur, assis sur des chaises de paille, de taille inégale comme les instruments, disposées dans un coin du péristyle. À leurs pieds, une bouteille, avec à l'intérieur un liquide incolore, du clairin sans doute, qu'ils se passaient de temps à autre sans cesser de taper sur leurs tambours. L'un d'eux portait une chemise bleu délavé de type guayabera à quatre poches, dont chacune arborait le même motif représentant un cœur traversé d'un coutelas, ouverte jusqu'au nombril, et un chapeau, de paille aussi, penché vers l'arrière et arrêté à mi-crâne. Il semblait transporté dans une autre dimension, tout entier accaparé par l'instrument calé dur entre ses jambes. Il le faisait geindre sous ses caresses, vrombir sous ses gifles, lui arrachait des sons venus de nul ailleurs qui s'échappaient dans des solos qu'on eût dits improvisés ; les autres musiciens peinaient à le suivre. Le Dr Schwarzberg, en admiration, ne put s'empêcher de demander son nom à la prêtresse.

« Il s'agit d'un dénommé Ti-Roro, dit celle-ci. Quand il n'est pas soûl, il peut faire parler toutes les langues à son instrument. »

Les gens allaient et venaient en toute liberté, ignorant la présence du Dr Schwarzberg que ses accompagnateurs avaient abandonné parmi l'assistance. Peu importe, ils le connaissaient tous ou avaient entendu parler de lui, ses miracles étaient parvenus jusqu'à leurs oreilles. Les uns chantaient à l'appel d'une matrone à la voix de crécelle, toute de blanc vêtue, les cheveux retenus par un madras de la même couleur, la taille par un mouchoir rouge sang. Certains dansaient par intermittence, dans un coin ou au milieu du *oufò*, d'autres commentaient les pas des danseurs ou la science des tambourineurs, veillaient au bon déroulement de ce qui se présentait à la fois comme une cérémonie cultuelle et une fête. De temps en temps, quelqu'un entrait en transe, suscitant le rire ou la crainte des participants, selon qu'il était chevauché par un esprit farceur ou ombrageux, avant de tomber en catalepsie et d'être recueilli par des préposés qui tour à tour l'éventaient, lui tamponnaient le visage à l'aide d'une serviette imbibée d'eau fraîche, ou d'alcool, allez savoir.

Soudain, un roulement de tambour de Ti-Roro introduisit une rupture dans le rythme, monocorde depuis quelques instants ; l'assistance se figea avant de laisser passer un homme à la barbe poivre et sel fournie, visiblement habité, venu se camper au milieu du *oufò*, tenant une canne d'une main et le poteau-mitan de l'autre. De la canne, il frappa un coup par terre, et l'on vit trois énormes couleuvres sorties d'on ne sait où traverser le temple, sous le regard indifférent de l'assemblée, pour aller s'enrouler, deux autour du poteau-mitan, la troisième se lover sur le muret qui servait de socle à la colonne. Un garçon à peine sorti de l'adolescence se précipita pour leur servir, à tour de rôle, du rhum à boire au goulot tout en leur soutenant la tête avec délicatesse mais sans aucune crainte, un acte qu'il répéterait plusieurs fois au cours de la soirée. De la même canne dont il se servait pour se déplacer et sur laquelle il s'appuyait de temps à autre pour déclencher un vigoureux et suggestif déhanchement, l'homme frappa un nouveau coup par terre, ordonnant à une mer invisible de s'ouvrir pour laisser passer le fils d'Israël. Se présentant comme le *lwa* Moïse, il vint s'immobiliser devant le Dr Schwarzberg.

« Je connais ton histoire, *pitit gason m*, lança-t-il au docteur. Je sais quelle mer rouge de haine et de sang tu as traversée avant d'arriver jusqu'ici. Sache qu'Haïti est la mère de toutes les libertés, ta Terre promise. Tant que tu y seras, rien de grave ne pourra t'arriver. Tant que tu y seras, tu seras sous la protection de Maîtresse Erzulie. »

Puis il étendit le bras et ramena de nulle part une Zule métamorphosée, précédée d'un parfum capiteux, le visage maquillé à outrance, les lèvres fardées d'un rouge vif, les cheveux lissés ramenés vers la nuque. Elle se mit à tourner autour du Dr Schwarzberg, minaudant, l'apostrophant dans un français pointu, langue que celui-ci ne l'avait jamais entendue parler auparavant. Tantôt elle jouait à le séduire, tantôt elle le toisait de haut comme s'il avait été un vulgaire microbe. Il ne reconnut pas dans cette courtisane la jeune bonne qui l'appelait Dr Ruben. Elle lui parlait les yeux rivés aux siens, alors que, dans le quotidien, elle fuyait son regard, héritage d'une culture où regarder le maître dans les yeux pouvait être associé à de l'insubordination. De nouveau, Moïse leva le bras, et les tambours, qui avaient entre-temps repris leur ronflement en musique de fond, s'arrêtèrent net. On entendit alors tomber de ses lèvres une langue inconnue, différente du mélange de fon, de français, de créole et de latin, dont est fait le langage sacré vaudou :

Baroukh ata, Adonaï Elohenu
Baroukh ata, Yerushalayim

Les participants reprirent après lui : « *Baroukh ata, Adonaï Elohenu / Baroukh ata, Yerushalayim.* » Il psalmodia encore quelques mots dans ce langage inconnu avant qu'une voix, venue de derrière l'assistance, ne lance brutalement : « Amen, foutre ! » La voix était grave, faite pour commander sur les plus violents champs de bataille. Personne n'attendait l'arrivée de l'empereur Jean-Jacques Dessalines cette nuit-là, encore moins de le voir s'incarner dans le corps osseux de la vieille *manbo*, forçant ainsi les tambourineurs à passer du rite rada au pétro. Les yeux injectés, intrépide, farouche, la vénérable prêtresse semblait avoir retrouvé la vigueur de ses vingt ans. À côté, Zule, chevauchée par Erzulie, paraissait une nonagénaire percluse de rhumatismes. Elle s'avança d'un pas martial parmi l'assistance qui s'écarta pour lui frayer un chemin au milieu du temple, tandis que l'un de ses assistants faisait exploser de la poudre à feu sur ses pas. Parvenue sur place, elle se jeta dans une *djouba* du tonnerre de Dieu. Le Dr Schwarzberg peinait à croire la vieille prêtresse capable d'une danse si énergique et que la voix puissante qu'il entendait sortait de sa frêle poitrine. Au passage, l'empereur arracha de la main d'un jeune homme une bouteille de rhum que celui-ci s'apprêtait à porter à ses lèvres. Campé sur ses jambes écartées, le poing gauche sur la hanche, l'empereur bascula sa tête à la renverse et avala, cul sec, tout le contenu de la bouteille. Dans l'intervalle, Moïse, hagard, avait retrouvé sa défroque humaine et se faisait éventer par deux donzelles. Dessalines s'essuya la bouche du revers de la main, frotta son front par deux fois, côté droit puis côté gauche, à celui du Dr Schwarzberg, recula d'un pas avant de planter ses yeux dans les siens :

« Nègre Schwarzberg, ce soir, je te consacre natif-natal de ce pays. Te voilà un sabra d'Ayiti-Toma. Ton nom vaillant sera désormais Moïse. Comme le nègre couillu qui mena le combat dans le Sud contre les Français esclavagistes et leurs complices locaux, pas comme ce danseur de valse qu'était son oncle Toussaint. Moïse comme celui qui fit traverser la mer Rouge à pied sec aux enfants d'Israël. Te voilà un nègre comme un autre, parmi les nègres et négresses d'Ayiti-Toma. Tonnerre-Foutre, j'ai dit ! »

Au moment où le nom de Moïse fut prononcé, Ruben eut la sensation physique d'incarner le patriarche de la

Torah qui aurait foulé, cette fois-ci, la Terre promise. Le reste, il ne se le rappellerait que vaguement : la voix de l'empereur intimant l'ordre à l'assistance de se retirer, hormis Erzulie, lui-même et Ti-Roro, dont le tambour continua de moduler un solo sourd, à la fois sensuel et envoûtant. Les deux femmes le prirent par les bras, le débarrassèrent de ses vêtements avant de l'installer dans une bassine remplie d'eau et de feuilles vertes odorantes fraîchement cueillies. Erzulie le frotta de pied en cap en passant par les couilles, qu'elle cajola sans timidité aucune, tandis que l'empereur psalmodiait des mots insondables à ses oreilles. Quand il fut enfin tiré du bain, Erzulie l'enveloppa dans une grande serviette pourpre et l'essuya elle-même de la tête aux pieds. La vieille prêtresse et la jeune femme l'entraînèrent ensuite vers une chambrette éclairée de sept bougies formées d'une mèche flottant dans une demi-calebasse d'huile chacune, l'étendirent sur une paillasse étalée à même le sol, puis Erzulie l'y rejoignit, nue comme au jour de sa naissance.

Avant que les deux corps ne se touchent et ne s'embrasent, l'empereur intervint à nouveau. Ce n'était pas bon, dit-il, que le docteur soit seul à son âge. Il était grand temps qu'il prenne femme. En attendant qu'il trouve la commandante en chef de sa case, si le docteur avait oublié le goût de la femme, Maîtresse Erzulie allait se charger de fourbir le sceptre de Moïse.

« Les Juifs, c'est connu, sont des baiseurs impénitents, presque aussi vigoureux que nos mâles-nègres haïtiens. Regardez Abraham qui, à plus de quatre-vingt-dix-neuf ans, a honoré la vieille Sarah d'une étreinte tellement raide qu'il lui a fait un enfant. Prenez le roi Salomon ! Un sage dans la gestion des affaires de son peuple, mais un enragé de la bagatelle. Il a connu mille femmes, éparpillé un essaim de gosses jusqu'en Afrique-Guinée. La reine de Saba, une négresse de caractère pourtant, en sait quelque chose. À côté de lui, les *ougan* haïtiens, qui ne sont pourtant pas des prêtres d'opérette, pourraient presque aller se rhabiller. Que dire de King David, qui dézinguait, sans aucun préjugé, toutes les fesses qui s'aventuraient trop près de sa braguette ? Sois digne de tes ancêtres, nègre Schwarzberg, et fais honneur à Maîtresse Erzulie. »

Aujourd'hui encore, le Dr Schwarzberg peinait à se souvenir de ce qu'il se passa sur la natte cette nuit-là, s'il s'endormit tel un nègre heureux, s'il célébra comme celui-ci le méritait le corps musqué et ferme de la jeune Zule que, en dépit des promesses qu'elle abritait sous ses robes moulantes, des nuits parfois trop fraîches de Montagne Noire, il avait toujours mis un point d'honneur à ignorer : il n'avait aucun droit de cuissage sur sa servante. Il se revit à l'aube, reprenant le chemin du retour, en compagnie de Prophète et de Zule, qui lui servit ce matin-là un copieux petit déjeuner avant son départ pour l'hôpital : de la polenta au hareng saur et aux tomates, bien épicée, entourée de tranches d'avocat, de mangue et d'ananas, qu'elle présenta flanquée d'un succulent jus de fruit de la passion.

Longtemps, il se demanderait pourquoi il s'était prêté à ce jeu que d'aucuns auraient jugé ridicule, folklorique. Il n'avait rien bu de particulier avant de partir ni sur place, hormis une gorgée de *trempé*, du clairin macéré avec des racines, pendant que Zule lui donnait le bain rituel. Sans doute avait-il voulu faire un bras d'honneur à la campagne dite antisuperstitieuse que le petit père Lescot, sous l'instigation de l'Église catholique, avait menée quelques années plus tôt contre le vaudou.

Une forte majorité de la population avait été contrainte d'abjurer ses croyances sur la place publique, de déclarer « renoncer à Satan et à ses œuvres », comme les Juifs, ici et là dans l'Histoire, avaient été forcés de renier leur foi et d'en embrasser une autre. Il y eut même un autodafé de milliers d'objets de culte vaudou d'une très grande complexité conceptuelle et d'une rare qualité artistique… Ce fut le seul moment où le Dr Schwarzberg pensa quitter l'île. « Quand on commence à brûler des objets de culte, à forcer son propre peuple à renoncer à une partie de lui-même, on n'est à l'abri de rien », avait-il dit en colère. Pour l'empêcher de partir rejoindre les autres membres de la famille aux États-Unis, il avait fallu toute la force de persuasion d'oncle Joe et de Roussan, qui n'avaient pas hésité à jouer sur la corde sensible : « Pense à tes protégés, que deviendraient-ils après ton départ ? » Peut-être aussi avait-il souhaité garder dans son cœur un peu de ce pays, qui s'en était allé durant cette maudite campagne et que, le moment venu, il aurait à transmettre à ses enfants et ses petits-enfants. Il ne le saurait jamais, se dit-il, tandis que les mêmes sons d'il y a soixante ans descendaient de Morne-Zombi, rythmant sa conversation avec Deborah.

6

Célibataire un peu endurci

Le jour où le président Antoine Louis Léocardie Élie Lescot fut renversé par une révolution fomentée par un petit groupe de poètes et d'intellectuels imberbes, le Dr Schwarzberg se trouvait à l'hôpital. Ses étudiants de deuxième année durent se passer ce jour-là de son cours d'anatomie, à cause des barricades dressées dans le quartier, l'École de médecine étant située à quelques pâtés de maisons du palais présidentiel. Il put néanmoins se réfugier à la clinique, après un long détour par Pacot afin d'éviter la zone du Champ-de-Mars en effervescence : le peuple souverain, massé devant les grilles du palais, réclamait à cor et à cri le départ du président, qu'il accusait de bâillonner la presse, en plus d'avoir placé ses amis mulâtres aux postes-clés, en particulier dans l'armée. S'il se garda de descendre dans les rues aux côtés des manifestants, le Dr Schwarzberg ne versa pas de larmes non plus sur le sort de celui dont le seul fait d'armes fut de défier à distance le petit caporal et ce bouffon de Mussolini réunis. Ce n'est qu'en milieu de soirée qu'il réussirait enfin à rejoindre Montagne Noire. Pendant les événements, qui durèrent cinq longues journées de conflits et de brigandages, oncle Joe craignit pour ses affaires avec l'État, mais, à l'arrivée, il ne subirait aucune perte ; il apprit pour l'occasion à ne pas mettre tous ses œufs dans le même panier de crabes des politiciens haïtiens.

Nous étions en janvier 1946, dit le vieux docteur à Deborah qui continuait de boire ses paroles, calée dans sa dodine, une découverte pour elle aussi. Cinq mois plus tôt, il avait reçu une lettre d'Ida Faubert l'informant en long et en large du retour de Johnny, qui avait survécu à la guerre et à son transfert d'un camp à l'autre avant sa libération… par les Américains dans celui de Rottleberode. Revenu à Paris, il fut interné un temps à l'hôpital américain de Neuilly où elle lui rendit maintes fois visite, mais il ne tarda pas à mourir de tuberculose. La poétesse en était ravagée, comme le furent Ruben et son oncle, qui eurent du mal, l'un comme l'autre, à fermer l'œil plusieurs nuits de suite.

Bref, on était en janvier 1946, et des révolutions, le Dr Schwarzberg l'ignorait, il en vivrait pour avoir des histoires à raconter à plusieurs générations : des révolutions de palais, des révolutions de salons huppés, des révolutions de bidonvilles, des révolutions romantiques avortées. Certaines folkloriques, d'autres sanguinaires, souvent décidées de l'intérieur, parfois téléguidées de l'extérieur, alimentant ainsi la paranoïa de l'Haïtien, toujours prêt à voir la main de l'étranger derrière ses déboires et à nommer révolution le moindre mouvement de foule. Alors un tyran remplace un apprenti dictateur, un Noir un Mulâtre, un lettré un analphabète, un bambocheur un coincé du cul (un peu moins, il est vrai), un prêtre un *ougan*, une femme un homme (un peu moins là aussi), et *business as usual*. Le civil Élie Lescot fut destitué par un militaire mulâtre, qui dut céder son fauteuil, quelques mois plus tard, à un Noir bon teint. Ce fut la première d'une longue série de révolutions pour le néo-citoyen Schwarzberg qui, à titre individuel, s'apprêtait à vivre la sienne.

Tout avait commencé par une conversation plutôt insolite avec Zule, qui, depuis le singulier baptême de Morne-Zombi, avait réintégré sa fonction de servante sans jamais outrepasser ses droits. Elle continuait d'être respectueuse et à l'appeler Dr Ruben, comme s'il ne s'était rien passé cette nuit-là, qu'ils ne s'étaient pas retrouvés nus l'un à côté de l'autre, dans un jeu de rôles dont la vérité lui échapperait toute sa vie. En temps normal, leurs entretiens tournaient autour des tâches ménagères, ce qu'il souhaitait petit-déjeuner ou dîner, les courses à faire pour la journée, la semaine, le linge à laver et à repasser, une ordonnance pour Zule ou un membre de sa famille... Il leur arrivait aussi d'échanger une blague anodine, quelques mots à propos de la saison qui était à la pluie ou au cyclone. Les rapports restaient cordiaux, mais sans la fausse familiarité que générait le logement de l'employé à domicile qu'il avait refusé dès le départ, et pas seulement à cause de l'intrusion dans son intimité. L'employé vivant à demeure, dans des conditions souvent peu confortables, on trouve naturel de recourir à ses services à n'importe quelle heure du jour et de la nuit, même pour s'offrir un verre d'eau, comme le Dr Schwarzberg l'avait observé ici et là. Hormis donc la parenthèse de Morne-Zombi, leurs échanges ne dépassaient pas le cadre de la relation employeur-employé.

Ce matin-là pourtant, après lui avoir servi le petit déjeuner sur la véranda, d'où il ne finissait pas de profiter de la vue féérique sur la baie de Port-au-Prince se dorant sous le soleil encore tiède, Zule ne s'était pas retirée comme à son habitude. Oncle Joe devait dormir ou avait découché, ils ne s'étaient pas croisés au réveil. Zule était restée debout à côté de lui, dandinait d'un pied sur l'autre, à l'image de quelqu'un qui ne saurait par quel bout attaquer une conversation sensible. L'ayant compris, le Dr Schwarzberg décida de voler au secours de la bonne. Il s'attendait à ce qu'elle lui demande une consultation pour un parent, une avance sur salaire pour une première communion, un baptême, un enterrement, les fournitures scolaires d'un petit cousin, d'une nièce. À part les services médicaux gratuits, dont il avait été lui-même à l'origine, il avait réussi jusqu'ici à ne pas tomber dans ce rapport de dépendance et de paternalisme. Toutefois, à la question « qu'est-ce qui ne va pas, Zule ? », la servante répondit d'abord :

« Rien, docteur.

– Comment rien ? Tu restes là à me regarder comme si tu t'attendais à me voir tomber raide mort, à cause du poison que tu aurais mis dans la nourriture, et tu me dis : rien.

– Oh ! Doc Ruben. Ne dis pas ça, non. Une bonne personne comme toi ! J'aurais préféré m'empoisonner moi-même.

– Merci, ma commère. Mais tu n'as pas besoin d'en arriver là. Après, où est-ce que je trouverais une aussi bonne gouvernante que toi ? »

L'expression « gouvernante » arracha un sourire à Zule qui n'aimait pas le mot « bonne » ; elle le trouvait réducteur. Et quand son employeur voulait la faire chavirer, il lui donnait de la « gouvernante », un titre qui, à ses yeux, revêtait plus de prestige. Ainsi se déclinait le théâtre social dans le pays, difficile à cerner pour qui venait de l'extérieur. Oncle Joe, lui, n'avait eu aucun mal à y trouver un rôle à la mesure de son sens consommé des relations humaines.

Zule avoua alors à son patron qu'elle avait rêvé de lui la veille. Sur le coup, celui-ci ne sut comment interpréter l'aveu. Devant son air interloqué, la servante s'empressa de le rassurer, il n'avait pas à s'inquiéter, c'était plutôt de bon augure. Dans son rêve, elle l'avait vu avec dans les bras « un beau bébé tout rose, un garçon bien joufflu » qui lui souriait. À ces mots, les idées s'étaient bousculées à une vitesse folle dans la tête du Dr Schwarzberg. Il repensa à la nuit de Morne-Zombi : Zule et lui, allongés nus sur la natte, dans la chambrette éclairée aux chandelles, leurs deux corps s'observant, se provoquant, se frôlant, sous le regard lubrique de l'empereur. Que s'était-il passé ensuite ? Ce serait son devoir de reconnaître le gosse, de lui donner un foyer comme à n'importe quel autre enfant. Comment réagirait la bonne société de la capitale et de Pétion-Ville s'il prenait Zule et le gamin sous le même toit que lui ? Et sa famille ? Sa mère surtout, comment vivrait-elle ces amours ancillaires, avec une goy qui pis est ?

Soudain, comme réveillé d'un cauchemar, il se rendit compte qu'il était en train de délirer. Plus de sept mois s'étaient écoulés depuis l'indicible nuit de Morne-Zombi, si la bonne était restée enceinte ou si elle avait mis un bébé au monde sans l'en avertir, il l'aurait su, il l'aurait vu surtout. Elle n'avait pas raté un seul jour de travail, à part les jours de congé habituels. Il en retira un énorme soulagement, tout en restant circonspect : qu'est-ce que Zule essayait de lui dire ? Voulait-elle lui proposer d'adopter un de ses nombreux neveux et nièces ? Une pratique courante dans le pays, dictée par la pauvreté et qu'il refusait là aussi de cautionner.

Mais alors, pourquoi avait-elle parlé d'un « bébé tout rose » ? Il tenta d'en savoir plus pour éviter de passer la journée à retourner la question dans sa tête.

« Où veux-tu que je le prenne, ce bébé, Zule ? Il faut d'abord trouver la mère, tu ne penses pas ?

– Oh ! je ne m'inquiète pas pour ça, Doc Ruben. Un monsieur comme toi n'aura aucun problème pour en trouver. Ce ne sont pas les filles qui manquent dans le pays, non. Ça ne dépend que de toi.

– De toute façon, ce n'est qu'un rêve, ton histoire de bébé.

– Les rêves, ce ne sont pas seulement des rêves, Doc Ruben. Fais-moi confiance, j'ai la tête très claire, oui. Quand je vois quelque chose pour quelqu'un en rêve, ça se réalise toujours. Je l'ai bien vu, ce bébé. Un garçon, je te dis. Un gros garçon avec un zizi sans capuche. Dans le rêve, j'ai vu une belle Mulâtresse dans une robe de tarlatane rose me dire qu'il faudra l'appeler Jean-Jacques, comme l'empereur. »

Le Dr Schwarzberg était bien conscient qu'il ne pouvait pas rester dans cette vie d'éternel célibataire comme pour tenir tête aux autres : collègues, parents, amis, qui avaient d'ailleurs arrêté de le harceler à ce propos, même s'il n'était pas dupe de la manœuvre de Salomé qui, en bonne pédagogue, avait compris que, à vouloir aborder la question de front avec lui, elle risquait de le braquer. Alors elle le bombardait de photos de son neveu : Jonathan à trois jours, Jonathan à sept jours, à deux semaines, à six mois… Elle lui racontait en long et en large son premier sourire, sa première dent de lait, ses premiers pas très tôt, à neuf mois, comme son oncle qui devrait penser à venir faire la connaissance de son héritier, car, tant qu'il n'avait pas de descendant direct, ce serait Jonathan l'héritier, ses premiers mots. Elle lui disait le bonheur incommensurable de voir ce bout de chou grandir, son rêve de lui donner un petit frère ou une petite sœur qui ne se décidait pas à venir, mais elle laissait faire la nature, ou Dieu, selon leur mère qui priait tous les jours pour cela.

À force, le Dr Schwarzberg s'était posé la question de son propre chef, peut-être que Silke dont il n'avait plus de nouvelles était devenue mère à son tour, ça aurait pu être lui, le père de l'enfant, s'il ne s'était pas débiné, avant de se dire que, tout compte fait, il avait du temps devant lui, que ce qui lui manquait, c'était d'avoir à ses côtés une femme dont le corps lui parlerait, comme celui de Marie-Carmel qui lui avait appris que baiser, c'était pas que des pointes, entrer et sortir dans un geste mécanique, mais aussi des grouillades et tant d'autres choses. Obnubilé par l'idée de ne pas se faire mettre le grappin dessus par une bourgeoise de la place, il avait donné dans le cliché le plus éculé qui soit : l'aventure avec les petites infirmières de l'hôpital, pas en même temps comme ses collègues, il n'avait jamais su courir plusieurs lièvres à la fois. Mais cela n'avait rien changé à la donne : ces filles de classe moyenne basse rêvaient elles aussi de l'encager, lui réclamant à cor et à cri un enfant pour être sûres que, même s'il en épousait une autre du même rang social que lui, il garderait un lien avec elles, comme un fil à la patte. Alors il coupait court à la relation, avant qu'elles ne le lui fassent dans le dos, cet enfant, pour se retrouver dans une fuite en avant perpétuelle… Voilà comment vivait le Dr Schwarzberg lorsque Zule lui avait raconté son drôle de rêve.

7

La rencontre

Une semaine après cette conversation, donnant un caractère prémonitoire au rêve de Zule, Sara viendrait déclencher la révolution dans la vie du Dr Schwarzberg, que les mères de bonne famille, même s'il se faisait de plus en plus rare à leurs sauteries, ne désespéraient toujours pas de glisser dans le lit de leur fille, avec bien sûr l'anneau au doigt. Il rencontra Sara un samedi dans une soirée sur les hauteurs de Thomassin, où son oncle l'avait entraîné malgré lui. Comme à l'accoutumée, il avait commencé par refuser l'invitation, se réfugiant derrière la fatigue après une longue semaine de travail, il n'avait aucune envie de se changer pour aller échanger des banalités un tiers en français, un tiers en créole, le dernier en anglais de cuisine – l'Occupation avait laissé son empreinte là aussi. Mais oncle Joe avait insisté : « Tu ne peux pas vivre ici sans connaître du monde. Allez, l'ours de Berlin, secoue-toi. *Schnell ! Schnell !* » fit-il en allusion aux kapos de Buchenwald, c'était sa manière à lui d'exorciser tout ça. Et puis, s'il avait trop bu, dit-il, il n'avait pas envie de finir dans le décor sur ces routes escarpées, il savait son neveu plus sage et plus sobre que lui dans ces endroits, autant en profiter. Ruben lui dit qu'il abusait, que cela s'appelait chantage affectif, c'est l'oncle qui devait veiller sur la santé de son neveu, pas l'inverse, mais, à ce jeu, oncle Joe était de loin le meilleur et finit par remporter la manche.

À l'arrivée à Thomassin ce soir-là, il y aurait Sara et ses boucles rebelles que Ruben entrevit à peine tant il évitait de fixer les gens, de peur que son regard appuyé ne soit pris pour une invitation au papotage et aux ragots qui s'en suivraient. Et puis, sous l'éclairage tamisé du salon, difficile de remarquer quelqu'un en particulier si on ne le connaissait pas avant. Sara, elle, l'avait repéré dès le moment où il s'était présenté dans l'encadrement de la porte, caché derrière son oncle. La fête battait son plein et, au milieu des allées et venues, les propriétaires des lieux n'eurent pas l'occasion de les présenter l'un à l'autre. Elle se tenait debout à côté de la cheminée où brûlait un léger feu de bois, un verre de champagne à la main, discutant avec un couple d'amis qu'elle délaissa au bout de quelques minutes pour sortir sur la terrasse où Ruben avait trouvé refuge. Oncle Joe s'était déjà mêlé aux convives, sautait d'une langue à une autre, distribuait baisers et accolades, troquait poignées de main, en fonction de l'origine ou du degré d'intimité avec les uns et les autres. Pendant ce temps, le Dr Schwarzberg se tenait dans la pénombre de la terrasse, profitant de la solitude et de la fraîcheur de la nuit, sirotant son seul verre de rhum sec de la soirée, afin de respecter sa promesse de ramener oncle Joe sain et sauf à la maison. Sara s'était avancée vers lui, décidée :

« Monsieur se mêle pas au *vulgum pecus* ? »

Surpris aussi bien par la présence – il ne l'avait pas entendue s'approcher – que par le ton direct, il avait bégayé ; ce qui ne lui était plus arrivé depuis bien longtemps. Le pays l'avait rasséréné, réconcilié avec lui-même et le reste du monde. Il balbutia :

« Je, je, je… préfère… l'ombre à la lumière. »

Il n'avait rien trouvé d'autre à dire, sa réponse lui parut idiote, et il s'en voulut : « Quel con ! quel con ! » pensa-t-il. Mais il n'eut pas le temps de s'apitoyer sur son sort, elle avait embrayé du tac au tac, le tutoyant dans la foulée :

« T'as quelque chose à cacher alors ?

— Je suis blanc co, co, comme neige.

— Que tu sois blanc, je peux difficilement le dire, vu que monsieur préfère rester dans le noir », fit-elle sans perdre son sens de la repartie.

Puis elle éclata de rire, avant de l'inviter à danser avec elle à l'intérieur, ce qui ne se faisait pas à l'époque. En tout cas, pas par une fille de son âge et de sa classe sociale, il ne fallait pas laisser l'impression de se brader à un potentiel mari. Le clair-obscur avait-il empêché Sara de voir le Dr Schwarzberg devenir rouge araignée de mer ébouillantée quand elle lui fit la remarque sur sa couleur supposée ? Il refusa tout de même l'invitation, arguant qu'il était un piètre danseur. Elle l'embarrassa davantage en y allant à nouveau d'un rire lumineux, avant de lui demander quelle race d'Haïtien il était pour ne pas savoir danser. Dans quel trou paumé ou sous la férule de quelle mère castratrice avait-il grandi ? Puis elle lança, provocatrice :

« En fait, tu dis ça parce que t'as pas envie de me faire danser. Monsieur supporte pas qu'une femme ait pris l'initiative, pas vrai ? Encore un petit macho haïtien à la mords-moi-le-nœud. Je croyais monsieur plus évolué, enfin, plus courageux. »

Le Dr Schwarzberg jura que non, bien au contraire, ça le flattait qu'une femme comme elle lui ait fait une telle proposition.

« Honnête, en tout cas. À part ça, comme moi comment ?

– Aussi b-b-b-belle, trouva-t-il l'audace de dire, croyant s'en tirer à bon compte, mais elle ne lui en laissa pas la possibilité.

– Trouve autre chose, hypocrite caressant. Comment tu fais pour savoir, si tu peux pas me voir dans le noir ? »

Toute autre qu'elle aurait apprécié, aurait relevé le « aussi belle » et dit : « flatteur, va » sans se lancer dans ce croisement de fer au risque de tout perdre, mais ce n'était pas le genre de la maison. Piqué au vif, Ruben décida de se prendre au jeu. Déjà, ses réponses devenaient plus fluides.

« Touché, fit-il, mais une voix en dit long sur son propriétaire, tu sais.

– Et dans mon cas ?

– La tienne dit quelqu'un de joyeux et sûre d'elle, comme seule peut l'être une belle femme. Pas joyeuse parce que belle, il existe des beautés tristes. Ta voix à toi dénote les deux à la fois.

– Monsieur est devin, ou psychologue. En tout cas, il aime jouer avec les mots.

– Pas tout à fait », dit-il sans préciser.

Il n'aimait pas mettre en avant son métier de médecin, surtout dans un milieu comme celui-là.

« Pas tout à fait oui, ou pas tout à fait non ?

– Ni l'un ni l'autre.

– Monsieur a de l'humour…

– … et mademoiselle ne supporte pas d'être repayée avec la même monnaie.

– Madame ! Madan Sara », fit-elle.

Le Dr Schwarzberg ne releva pas l'allusion à l'oiseau et aux pacotilleuses du même nom. L'échange aurait continué sur le même ton toute la soirée si elle n'avait pas repris les choses en main, démontrant avoir aussi de la suite dans les idées.

« Alors, cette danse ? On va pas y passer la nuit quand même. »

Voilà le Dr Schwarzberg de nouveau embarrassé, en train de jurer une fois de plus être très mauvais danseur, que, en plus de ne pas aimer se donner en spectacle, il lui écraserait les orteils qu'elle devait avoir bien soignés, valait mieux pas, vraiment. Mais il promit qu'il allait apprendre afin de lui dire oui la prochaine fois, si toutefois elle acceptait de le revoir. Elle n'aurait même pas à demander, c'est lui qui l'inviterait.

« Bien entendu, dans l'intervalle, l'orgueil de monsieur vivrait mal le fait qu'une femme lui apprenne », insista-t-elle, histoire d'être sûre que l'homme invisible ne se foutait pas de sa gueule, lui dirait-elle plus tard dans son langage raffiné, rien que l'idée lui faisait horreur.

« Pourquoi pas ? » s'entendit répondre le Dr Schwarzberg. Au point où on en est, se dit-il à part soi, avant d'ajouter à haute voix :

« À propos, je m'appelle Ruben.

– Moi, c'est Sara. Madan Sara.

– Tu es vraiment ''madame'' ? fit-il sans, une fois encore, relever l'allusion.

– Tu le sauras la prochaine fois qu'on se verra. Dans la journée, tu peux me joindre à la Grand-Rue », dit-elle en griffonnant dans le noir une adresse sur un bout de papier qu'elle lui tendit avant de partir retrouver ses amis à l'intérieur.

Voilà comment, un soir de novembre de l'an de grâce 1946, Sara entra avec armes et bagages dans la vie du Dr Schwarzberg qu'une brise insistante était venue rappeler à la réalité peu après le départ de la jeune femme. Peut-être était-il temps de rentrer à son tour. Il tomba nez à nez avec oncle Joe qui déboulait sur la terrasse, il le cherchait partout, il voulait le présenter à quelqu'un, au fait à quelqu'une dont Ruben savait déjà qu'elle lui paraîtrait fade après l'échange avec Sara. Il prit conscience à ce moment-là que la pénombre lui avait caché le visage de son interlocutrice, qu'il s'était engagé à partir de rien, ou si peu : le seul éclat d'un rire…

Plus de soixante ans après, assis sur la véranda de sa maison de Montagne Noire en compagnie de sa petite-cousine Deborah, l'esprit rendu guilleret par le « Réserve du domaine » de quinze ans, le patriarche se souvint que ce qu'il avait aimé le plus de ce dialogue dans le noir, lui si réservé, c'était le rire abondant de Sara, qui aurait détendu même un hérisson apeuré. Il avait adoré aussi le fait qu'elle l'ait qualifié d'Haïtien. Elle n'avait pas reconnu son accent d'ailleurs, ou peut-être avait-il ramassé sans s'en apercevoir le français traînant des gens d'ici et leur tendance à bouffer les r en milieu et en fin de syllabe. Dans la semi-obscurité de la véranda, Deborah n'aurait pu jurer de rien, mais il lui sembla avoir vu l'index du Dr Schwarzberg écraser une larme, au moment où il aborda le chapitre de celle qui deviendrait son épouse et la mère de ses enfants.

8

Madan Sara

Sara El Khoury descendait d'une famille de Palestiniens chrétiens arrivés dans l'île à la fin du XIXe siècle, dans le sillage d'autres migrants d'origine levantine tout aussi démunis, que les Haïtiens avaient baptisés Syriens et qui n'avaient rien à voir ni de près ni de loin avec la Syrie. Rudes travailleurs, ils furent d'abord colporteurs, ce qui leur valut le surnom de « boîte-nan-dos », petits commerçants au détail, avant de se lancer dans l'import-export, où, avec l'aide de politiciens canailles, ils s'étaient enrichis au-delà de leurs espérances en à peine une génération, focalisant au passage la jalousie de la bourgeoisie traditionnelle. Les futurs beaux-parents du Dr Schwarzberg n'avaient aucun souvenir de leur ville natale de Bethléem, qu'ils avaient quittée avec leur famille respective, sachant à peine tenir debout. Sara, elle, avait vu le jour vingt-cinq ans plus tôt dans la ville des Cayes, au sud du pays, avant que le père, ayant fait fortune dans toutes qualités d'affaires, n'embarque le clan à Port-au-Prince, grands-parents des deux lignées compris, histoire d'élargir les horizons. Il ne fallait surtout pas parler de province à Sara, qui se considérait de la capitale comme ses parents étaient d'Haïti, car elle y était arrivée en faisant encore pipi au lit et en connaissait les moindres recoins, du bas au haut de la ville en passant par le milieu, du quartier des rails au Bel-Air, de Bas-Peu-de-Chose à Pétion-Ville, et puis merde à ceux qui pensaient ou osaient lui dire l'inverse.

À bien réfléchir, le Dr Schwarzberg fut plutôt chanceux de ne pas avoir vu Sara en pleine lumière – après qu'elle l'avait quitté, elle était repartie dans la foulée avec ses amis avant que Ruben ne se décide à rentrer à son tour. Quand il la revit enfin à la lumière du jour, il fut incapable de prononcer le moindre mot pendant de longues minutes. Le visage, les seins, le corps tout entier de Sara correspondait à son rire : la même générosité, le même débordement de sensualité, la même invite pressante à la célébration des sens. À la voir sous un éclairage a giorno cette nuit-là, elle l'aurait intimidé et peut-être n'aurait-il pas accepté le rendez-vous pour sa première leçon de danse qu'il ne prendrait d'ailleurs jamais une fois le contact établi, de toute façon il n'en avait pas un si grand besoin, les Haïtiennes de Paris l'avaient déjà dégourdi. Sara ne se fit pas prier, une fois qu'elle s'en fut aperçue, pour le traiter de menteur, d'arracheur de dents, *bakoulou* et toute la panoplie de mots dont les femmes aiment affubler les hommes pour les culpabiliser et se retrouver en position de force. Peut-être aussi l'aurait-il associée à une de ces petites allumeuses qui, pour se mettre en valeur, traînent un bataillon de courtisans dans leur sillage sans accorder leurs faveurs ni à l'un ni à l'autre ; ou pire, à une de ces filles toujours flanquées de « meilleures amies » assez moches dont la compagnie sert en fait à attirer la lumière sur leur personne.

Maintenant qu'il était à l'eau, se dit le Dr Schwarzberg, il se devait de nager, sous peine de se noyer. Plutôt impatiente, la demoiselle ne supportait pas le silence en général, moins encore celui par lequel démarra ce premier rendez-vous. Elle lui demanda très vite s'il avait perdu sa langue, car les taiseux, c'était pas son truc, on sait jamais ce qu'ils pensent ; avec elle, il fallait que ça parle, hurle, rie à gorge déployée, qu'il y ait de la vie, quoi. Sinon à quoi ça sert d'être ensemble ? Mieux vaut alors prendre un bon livre, et on est sûr d'être en agréable compagnie, même si les livres, c'était pas sa tasse de café non plus. Ruben fut obligé de lui avouer, après un effort surhumain pour ne pas bégayer, combien sa beauté le subjuguait. Sur le coup, elle ne répondit rien, sans doute confuse devant le peu d'originalité de son propos : il y avait mieux comme entrée en matière, pensa-t-il. Ou peut-être était-elle trop habituée à se l'entendre dire, et l'écouter une énième fois de la bouche d'un médecin intello, qui passait son temps libre à traîner dans des cercles de poètes désœuvrés, qu'est-ce qu'elle en avait à fiche. Ce qui eut le don de tétaniser davantage le pauvre Ruben, mais n'empêcha pas Sara de lui accorder un autre rendez-vous, un peu comme un examen de rattrapage. Bien des années plus tard, devenue madame Schwarzberg, elle lui révélerait avoir été touchée par l'émotion qui se lisait sur son visage, il était devenu aussi rouge qu'une tomate Ti-Jocelyne au moment où il prononçait péniblement ces quelques mots, et cela l'avait touchée. Elle avait compris qu'elle n'avait pas affaire à un dragueur compulsif, une espèce dont le pays comptait presque autant de représentants que de membres de la gent masculine. Autrement, elle lui aurait pouffé au nez direct, sans se gêner.

Sa beauté à couper le souffle tenait aussi de sa peau hâlée, qui trahissait une fréquentation régulière du soleil dont elle ne se protégeait pas du tout, au contraire de la plupart des femmes de son milieu. Elle ne rêvait que d'une chose : devenir aussi noire que la majorité de ce

pays de merde, parlait haut perché un créole de maraî-
chère sans se départir pour autant de son charme et de
son sens inné de la séduction. Elle donnait du « chérie
cocotte » à tout-va, enguirlandait pauvres et nantis sans
distinction de sexe, de couleur ou de religion. De toute
façon, disait-elle, aucun natif de ce pays ne sait résister au
roulement d'un tambour vaudou. Au carnaval, qu'elle ne
manquerait pour rien au monde, elle se déhanchait dans
des coups de reins capables de rendre son bon ange à un
zombi, qui faisaient saliver les hommes, toutes couches
sociales confondues, médire de jalousie les femmes de
sa classe et verdir de honte ses géniteurs. Cette hédoniste
bon teint ne dut déployer aucun effort pour attraper le
Dr Schwarzberg dans ses rets : le bonhomme n'en demandait pas mieux, victime consentante et heureuse de l'être.

Le Tout-Port-au-Prince, chic et dépenaillé, fut una-
nime à reconnaître que jamais deux chrétiens-vivants
ne s'étaient ajustés si bien l'un à l'autre. Même le petit
peuple de Montagne Noire, dont l'avis comptait pour
le Dr Schwarzberg, salua son choix, en appelant Sara
« Madan Schwarzberg » avant même l'union devant monsieur le maire ; et le jour où elle entra officiellement dans
la maison, les roucoulades des tambours tombèrent avec
plus d'entrain la nuit suivante des hauteurs de Morne-
Zombi. Chaque bouteille a son bouchon, dit un *audienceur*
patenté du coin le lendemain : celui de la fiole n'est pas
de même type ni taille que celui du flacon, le couvercle du
magnum ne fait pas le bonheur de la dame-jeanne. Madan
Sara avait trouvé le sien, ou peut-être le Dr Schwarzberg,
car, avec cette maîtresse femme, difficile dans l'histoire de
savoir qui embouchait qui. Leur idylle rencontra l'assentiment d'oncle Joe, les félicitations de Roussan et rendit
folles de rage les mères de bonne famille.

Quand les futurs époux se connurent, Sara tenait un magasin de tissus en gros au boulevard Jean-Jacques-Dessalines, Grand-Rue pour les intimes. Inutile de dire que le clan El Khoury aurait préféré la voir derrière un bureau, au pire professeur d'anglais qu'elle avait appris deux ans durant au sortir du brevet supérieur au Barnard College à New York ; elle n'aurait eu aucun mal à trouver une chaire à Sainte-Rose-de-Lima. Mais l'idée de mettre les pieds dans ce lycée catholique où les jeunes filles des foyers aisés de Port-au-Prince et de Pétion-Ville allaient asseoir leurs petites fesses de vierges l'horripilait. La famille n'en faisait pas une question d'argent, elle en disposait assez pour lui offrir une vie sans souci, à elle et à ses deux frères. Il s'agissait de l'occuper le temps de lui dénicher un bon parti, ou plutôt qu'elle se le trouve elle-même, car cette tête brûlée refusait de se laisser dicter sa conduite, surtout pas par ses parents, qui rêvaient pour beau-fils d'un descendant d'une famille mulâtre même désargentée, l'alliance idéale pour mieux s'enraciner dans leur terre d'accueil, en dépit du profond mépris de cette ancienne aristocratie pour les Syriens. Mais la jeune fille ne voulait entendre parler de mariage arrangé ni avec un Syrien, comme cela avait été le cas pour ses parents, ni avec un natif-natal, ni avec qui que ce soit. Tout ce qu'elle aimait d'arrangé, c'était le rhum ou le tafia macéré avec de bonnes racines du pays, qu'il lui arrivait de descendre sec, histoire de montrer à ces petits machos de pacotille qu'ils étaient pas les seuls à en avoir. Pour le reste, elle choisirait elle-même l'homme de son cœur et de son devant, disait-elle, plaquant la main sur son pubis. Noir, mulâtre, syrien, elle n'en avait rien à branler, pourvu qu'au pieu il lui fasse sentir qu'il était un Haïtien tout de bon. Et s'il ne leur convenait pas, ses parents n'avaient qu'à aller se faire voir, eux et leur foutu fric, aux îles Turques, en Palestine ou ailleurs. Pire encore, en République dominicaine.

En attendant, elle allait et venait avec des hommes de toutes les couleurs qu'elle présentait comme des amis, mais toujours motorisés afin de pouvoir s'échapper à souhait, signe qu'elle n'était pas aussi barrée qu'elle le laissait croire, disparaissait un week-end entier à la mer, d'où elle revenait bronzée de la tête aux pieds, sans que personne ose lui demander si elle s'était exposée au soleil en tenue d'Ève, passait avec une humeur égale d'un service dans un temple vaudou, qu'elle fréquentait assidûment depuis sa rencontre avec la chorégraphe anthropologue états-unienne Katherine Dunham, à une messe du père Bouilhaguet à la grande cathédrale de Port-au-Prince, qu'elle te débitait dans un latin sans tous ces prêchi-prêcha pour savoir si la prière grimpait plus vite vers Dieu en langue romaine, en français ou en créole, comme le voulaient ceux qui souhaitaient l'entrée de la langue nationale dans les sphères sacrées autres que le vaudou, et sans que ni parents ni frères, les deux pareillement babas devant leur cadette, se hasardent à lui demander de quoi il retournait, si c'était du lard ou du cochon, au risque de déclencher une de ces colères qui la voyaient dégainer tout l'attirail de mots sales appris à la Grand-Rue, des bouches des marchandes en détail qui venaient s'approvisionner dans ses rayons. Quant au commerce de tissus, comme elle nommait son activité, si elle avait choisi d'en gérer un – grâce aux sous des siens, elle voulait bien l'admettre, mais, promis juré, elle le leur rendrait –, c'était parce qu'elle ne voulait dépendre de personne, ni des parents, ni d'un homme, détail qu'elle tint à mettre au clair avec Ruben, dès que leur relation avait commencé à prendre chair : 1. elle ne céderait ni pour lui, ni pour des mioches ; 2. pas question de laisser son travail pour s'occuper de la villa de Monsieur le Docteur et de la marmaille. Le personnel de service et les grands-parents étaient là pour ça. À défaut, qu'il fasse venir les siens de New York, c'est aussi leur job. Voilà donc le pedigree de la femme qui débarqua dans la vie du Dr Schwarzberg un samedi soir de novembre à Thomassin. Celui-ci comprit que sa promise avait un caractère de cochon, qui n'était pas sans lui rappeler celui de sa mère, et se le tint pour dit !

9

Everything Somebody, ou presque

Une chose, comme on dit si bien en Haïti, est de vouloir traîner une couleuvre à l'école, d'y arriver même, autre chose est de la faire asseoir sur le banc pour apprendre correctement son a-b-c-d. La question, en d'autres termes, était la suivante : comment le Dr Schwarzberg allait-il bien pouvoir annoncer à sa mère qu'il s'apprêtait à épouser une goy, arabe qui pis est ? Certes, avec le temps et la distance, il avait appris à se passer de l'avis tranché de la gardienne des traditions, de sa tendance à vouloir tout régenter, plus encore s'il s'agissait de son garçon adoré, mais il n'était jamais à l'abri d'un chantage de sa part dès que les arguments rationnels venaient à lui manquer. Le Dr Schwarzberg prit donc soin d'informer le reste de la famille avant sa mère, afin de sonder un peu le terrain. Son aînée Salomé s'était rangée tout de suite de son côté ; Bobe aussi, toujours prête à applaudir la moindre de ses initiatives. Tante Ruth avait envoyé ses vœux de bonheur du lointain Proche-Orient, en disant à Ruben de ne pas laisser sa sœur Judith leur imposer la houppa et tout le toutim. Mise devant le fait accompli, la principale intéressée supporta avec stoïcisme cette nouvelle épreuve que Celui qu'on ne nomme pas avait placée sur son chemin ; si tel était Son dessein, elle porterait cette croix aussi, façon de parler bien sûr, car ce petit prophète de quatre sous de Jésus ne pouvait en rien être considéré comme le Messie.

« Il a eu du succès, c'est vrai ; et comme c'est un des nôtres, on ne peut pas lui jeter la pierre, mais de là à le considérer comme le Messie ! »

De leur côté, nos tourtereaux durent faire quelques concessions, non sans grincements de dents de la part de Sara, histoire de marquer le coup, car tout ça lui importait bien peu, mais si les parents commençaient à foutre le nez dans leur histoire, ils n'en avaient pas fini. Oncle Joe, docteur ès relations humaines avec majeure en Madan Sara, le seul auquel celle-ci vouait un amour sans condition, savait l'art et la manière de la prendre, n'étant jamais avare de « Princesse », « la plus belle des Haïtiennes depuis la reine Anacaona », « Rayon de pluie » – dans un pays où le soleil coûtait que dalle, lui donner du « rayon de soleil » n'aurait pas fonctionné… Et alors, non seulement Sara rayonnait, mais elle en profitait pour fourguer un coup de coude à Ruben : « Prends-en de la graine, docteur de mes deux. » Ainsi donc, sous le conseil avisé d'oncle Joe, les fiancés renoncèrent au mariage religieux afin de ne pas laisser l'impression de privilégier l'une des deux familles par rapport à l'autre. Grande fut la déception des proches de Sara, qui envisageaient déjà de célébrer les noces au son de *La Marche nuptiale* de Mendelssohn et des orgues de l'ancienne cathédrale de la rue du Docteur Aubry, dont les murs résonnaient encore du discours de Toussaint Louverture dotant la colonie de Saint-Domingue d'une Constitution, se proclamant au passage gouverneur général à vie et déchaînant par la même occasion l'ire de Naboléon. À la vérité, Sara s'en fichait comme de la perte de sa virginité, qui devait remonter à ses premières règles, si elle avait bonne mémoire, elle en rajoutait volontiers pour choquer son petit monde, d'autant qu'elle savait le père Bouilhaguet grand trousseur de jupons devant l'Éternel. Pour elle, que le mariage soit célébré dans une église, une synagogue ou un *oufò*, l'essentiel était de ne pas apprendre un jour que Ruben avait des enfants dehors, car, si elle avait voulu faire partie d'un harem, elle aurait épousé un cheikh ou un *ougan*. « Que ce soit clair ! », son expression favorite, qu'elle dégaina une fois de plus avant de se tourner vers Roussan, le témoin de Ruben :

« Dis à ton compère de prendre garde à ses couilles, s'il ne veut pas qu'elles finissent aussi sèches qu'un tassot de cabri, que je n'hésiterais pas ensuite à arracher avant de les balancer aux truies qui lui courent après. »

Le Dr Schwarzberg n'eut pas à insister pour que la famille installée aux États-Unis prenne part à la cérémonie. Tout le monde fit le voyage, « everything somebody », selon le mot de Bobe qui pleura d'émotion en revoyant son petit-fils pour la première fois depuis dix ans. La belle-mère de Sara évita tout triomphalisme, mais fut heureuse de ne pas avoir perdu la face avec la célébration des noces à l'église au son, qui pis est, de la musique de ce renégat de Mendelssohn. De temps en temps, Ruben et Salomé s'isolaient en quête de la complicité de leur enfance avant de revenir, les yeux rieurs comme des gamins qui auraient commis une bêtise, tandis que Sara prenait à son tour Jürgen à l'écart du groupe afin que, fort de l'expérience avec sa belle-sœur, il lui explique dans quelle famille elle avait mis les pieds. Jonathan, le neveu du Dr Schwarzberg, fut sans doute le plus heureux dans l'affaire. Durant deux semaines, le garçon troqua avec un plaisir sans nom l'appartement de Brooklyn Heights contre une maison avec jardin où il pouvait partir à la découverte de la flore et de la faune tropicales, devenir expert en margouillat, anolis, blatte-à-paletot, colibri, dame-sara et autres, s'aventurer au-dehors, sous le regard admiratif des habitants du hameau, qui le gavaient de toutes sortes de fruits et de sucreries, comme s'il avait été un envoyé de Dieu, un *lwa* ou le Messie.

La grand-mère de Deborah fut la seule à ne pas faire le déplacement. Nous étions en juin 1948. Le tout jeune État d'Israël, qui, l'année précédente, avait bénéficié de la voix d'Haïti à l'ONU pour sa création, venait d'entrer en guerre avec ses voisins. À s'en aller à ce moment-là, même pour prendre part au mariage de son unique neveu, elle aurait eu l'impression d'abandonner le pays, mais aussi et surtout la famille qu'elle s'était créée à son arrivée, sans espoir de la retrouver vivante au retour. Elle en avait le cœur déchiré et espérait que Ruben et sa femme, dont elle était heureuse qu'elle soit d'origine palestinienne, comprendraient. Loin de lui en garder rancune, Sara et Ruben continuèrent de lui écrire et de lui téléphoner à la moindre occasion. Le seul regret du Dr Schwarzberg, même à plus de soixante ans de distance, c'était que sa tante, l'héroïne de la famille, et sa forte tête de femme ne se soient jamais rencontrées. Mais aujourd'hui, à l'heure où on enterrait tant de morts dans son pays d'adoption, où tant d'âmes – le mot ne faisait pas peur à l'agnostique qu'il continuait d'être – dormaient encore sous les décombres, il estimait que sa tante Ruth, disparue depuis une vingtaine d'années déjà, avait fait le voyage de fort belle façon : à travers sa petite-fille, venue l'accompagner dans le deuil collectif, et sécher ne serait-ce qu'une goutte des larmes abondantes de son peuple. Pour la deuxième fois de la soirée, Deborah crut percevoir un trop-plein d'humidité dans les yeux du vieux patriarche.

Après le mariage, Sara vint s'installer dans la maison de Montagne Noire, que le Dr Schwarzberg avait fait agrandir dans l'intervalle. Elle avait refusé catégoriquement que tonton Joe déménage ailleurs, de toute façon, il fallait bien quelqu'un pour parler de tes racines à tes enfants, dit-elle à son mari, vu que là-dessus t'es aussi bavard qu'un poisson-coffre ; et quand elle se mettait une idée en tête, bien valeureux celui ou celle qui tenterait de lui faire changer d'avis. Si Salomé et Jürgen ne devaient plus retourner dans l'île, les autres membres du clan Schwarzberg prirent l'habitude de venir y passer l'hiver : les grands-parents jusqu'à leur disparition, puis les parents, une fois que Néhémiah eut fait valoir ses droits à la retraite. Judith se réjouissait de pouvoir enfin pratiquer le français et, malgré de réguliers et longs séjours, elle refuserait de se mettre au créole. Elle n'avait pas attendu tout ce temps de s'exprimer dans la plus belle langue du monde pour commencer à son âge à débiter un charabia sans écriture ni véritable littérature. Grande lectrice, elle adora la langue classique du poète Léon Laleau, le ministre plénipotentiaire qui avait octroyé la citoyenneté haïtienne à Ruben. Elle prisa moins *Gouverneurs de la rosée*, le chef-d'œuvre de Jacques Roumain, et *Compère Général Soleil* de Jacques Stephen Alexis, un des artisans de la révolution qui avait emporté le petit père Lescot : trop de créolismes à son goût. Elle tomba néanmoins sous le charme du pays, satisfaite de la vie qu'y menaient son frère et son fils, et bientôt ses petits-enfants.

Le couple en eut trois coup sur coup, débordants de santé et d'énergie : un garçon, que le Dr Schwarzberg tint à prénommer Jean-Jacques, en dépit des réticences de sa femme, qui eût préféré Abraham et ne comprenait pas l'entêtement de son mari, mais celui-ci se contenta de lui dire : « Jean-Jacques Schwarzberg, ça en jette, non ? » tout en faisant comprendre sa détermination pour une fois à ne pas céder ; et deux filles, dont l'une avait hérité de la hardiesse de sa mère et des boucles de feu de tante Ruth. Sara s'y était employée de manière active, forte de l'habileté féminine de la Caraïbe et du Proche-Orient réunie dans son corps éblouissant de jeunesse. Elle refusa toutefois d'allonger la liste de leurs héritiers, malgré la demande pressante de Ruben, qui eût aimé vivre en chef de tribu, entouré de chamailleries d'enfants, mais elle n'était pas une pondeuse, elle avait déjà assez déformé comme ça son corps ; « après, tu auras l'excuse toute trouvée pour aller trousser tes petites infirmières, qui n'attendent que ça », balançat-elle à son mari. « Je t'aurai prévenu. » En guise de réponse, celui-ci attrapa son visage des deux mains et lui plaqua un baiser sonore sur les lèvres. « Il en faudra plus pour m'acheter, Dr Schwarzberg », fit-elle, désireuse d'avoir le dernier mot.

Voilà comment, au fil des décennies, des soubresauts du bout d'île caraïbe et de sa chère Sara, le Dr Ruben Schwarzberg était devenu le patriarche de trois générations d'Haïtiens, après avoir vu le jour dans un pays, passé son enfance et son adolescence dans un autre, quitté les deux sans qu'il ait choisi lui-même de s'en aller. D'ici, de ce bout d'île écrasé de soleil, de misère et de générosité, il ne s'en irait plus que les deux pieds devant, afin que sa chair désormais en fin de parcours devienne chair de cette terre qui l'avait accueilli, en avait fait un de ses fils comme s'il fût né de sa propre matrice.

Comme beaucoup d'Haïtiens, certains de ses descendants s'installèrent à l'étranger : les uns aux États-Unis et au Canada, les autres en Allemagne, où lui n'accepta de remettre les pieds qu'une fois, durant l'été 1974. Le grand amateur de football qu'il était devenu, une religion dans le pays, ne put s'empêcher de se rendre à Munich soutenir l'équipe nationale d'Haïti pour sa participation à la Coupe du monde. Pendant le séjour, il refusa de revoir sa ville de Berlin divisée par le mur de la guerre froide...

Les tambours de Morne-Zombi s'étaient tus pour laisser la place aux trilles des premiers oiseaux de l'avant-jour quand le vieux Dr Ruben Schwarzberg et la petite-fille de feu tante Ruth se levèrent enfin, bras dessus bras dessous, pour aller se coucher. C'est à ce moment-là que, sans avertissement aucun, une abondante pluie escortée de tonnerres rugissants se déversa sur la ville, comme si toutes les vannes du ciel avaient été ouvertes en même temps. Le Dr Schwarzberg se retourna et dit à Deborah : « Bienvenue chez moi. »

ÉPILOGUE

Berlin, 2014

En se présentant à l'entrée de l'immeuble de Charlottenbourg, un arrondissement huppé de l'ex-Berlin-Ouest, l'ambassadeur Nicolas, la cinquantaine élancée, courte barbe poivre et sel, lunettes fines et rondes, se demande comment il va pouvoir convaincre son interlocuteur de lui louer tout un étage pour y installer la mission diplomatique d'Haïti. Au téléphone, l'homme avait paru avenant. L'ambassadeur lui avait expliqué qu'il cherchait un appartement de standing pour en faire une ambassade, en prenant soin de ne pas nommer le pays. L'île souffre, il le sait, de l'image de pauvreté étalée en permanence sur les écrans de télévision et les unes des journaux. Aux yeux des propriétaires immobiliers, elle ne peut être que mauvais payeur.

Très fleurie en ce début de printemps, la rue débouche sur l'avenue Kurfürstendamm, où des salles de théâtre mythiques côtoient des hôtels de renom, des magasins de luxe et de grands restaurants. Vu de l'extérieur, l'immeuble, dont la façade en pierre de taille a échappé aux tapis de bombes alliées, semble dessiné pour les représentations officielles. L'entrée dénote un entretien régulier et soigneux. L'ascenseur, à l'évidence, sort d'une rénovation récente. Au quatrième et dernier étage, l'ambassadeur n'a pas fini de sonner que l'homme a ouvert, comme s'il attendait debout derrière la porte. Le teint hâlé, la quarantaine bien mise, il lui donne du « Son Excellence », dans un français hésitant, de la même voix affable qu'au téléphone, avant de l'introduire dans un bureau où les attendent des boissons rafraîchissantes, du thé, du café, des pâtisseries.

L'homme tient à savoir s'il aime Berlin, qui a retrouvé enfin sa splendeur un quart de siècle après la chute du Mur. L'ambassadeur répond qu'il connaît la ville depuis longtemps. Il y a fait ses études, puis a enseigné l'économie à la *Freie Universität* avant sa nomination. Après ce préambule où son interlocuteur, par politesse sans doute ou impressionné par le titre, a laissé souvent la parole à Son Excellence, vient le moment de visiter l'appartement situé deux étages plus bas… et où il va falloir jouer cartes sur table. Le diplomate préfère emprunter l'escalier pour finir d'apprécier l'état général de l'immeuble. Celui-ci a décidément du cachet. Il ne pourrait rêver mieux pour l'ambassade, en plein cœur de Berlin.

L'appartement le séduit encore plus. Il imagine déjà l'immense séjour, 3 m 70 de hauteur sous plafond à vue d'œil, accueillir des expositions de maîtres haïtiens, conférences, concerts de poche, cocktails. Il ne serait plus obligé, pour la moindre manifestation, de solliciter la bonne grâce d'un mécène, ni de renoncer à la location d'un espace faute de budget. Les autres pièces héber- geraient les bureaux ; la plus grande, le sien, bien sûr. L'espace dispose aussi de deux toilettes, et d'une salle de bains. *Wunderbar !* pense-t-il en allemand.

Tout dépend maintenant du propriétaire, s'il n'enclen- chera pas la marche arrière une fois qu'il aura appris le nom de son pays. S'il n'inventera pas la visite d'un précédent client très intéressé. En cas de désistement, ce sera un honneur pour lui d'accueillir l'ambassade dans l'immeuble. L'ambassadeur connaît la chanson. Au lieu de ça, l'homme souhaite savoir si l'appartement lui plaît. Sinon, il en possède un autre, plus grand, dans une rue parallèle, que Son Excellence pourra visiter dans la foulée, si elle en a le temps. Emporté par un enthousiasme décuplé par des mois de recherche, il s'entend répondre : « Oui, beaucoup. » Comme un rescapé d'un camp de concentration à qui l'on aurait demandé s'il a faim. Et l'homme de lui dire : « Affaire conclue alors », il a déjà le contrat présigné à sa disposition.

Une semaine s'est écoulée depuis que l'ambassadeur Nicolas a emménagé les bureaux de la mission au deuxième étage de l'immeuble de la Meinekestrasse, à cinq minutes de marche de la Gedächtniskirche. Ce jour-là, de retour de visite d'un hôtel où accueillir les officiels de passage, il décide de regagner le bureau à pied. Bien lui en a pris. Il remarque ainsi les sept *Stolpersteine*, les plaques de cuivre encastrées dans le trottoir à l'entrée du bâtiment voisin. L'idée qu'il a pu les piétiner sans s'en rendre compte le contrarie. Depuis le temps qu'il vit à Berlin, il n'ignore pas qu'il peut les fouler aux pieds. C'est même recommandé. Plus on marche dessus, plus le cuivre ou le laiton dont elles sont faites brille. Plus le souvenir des victimes du nazisme perdurera. Il a du mal à s'y habituer. C'est comme s'il profanait leur mémoire. Surtout lui, dont le grand-père paternel avait été interné à Buchenwald.

Toute la famille connaît l'histoire de ce grand-père qui a survécu à l'enfer des camps de Herr Hitler. À force de courage et de témérité, avaient témoigné des codétenus après la guerre. Pour les plus superstitieux, il n'y était pas entré seul : les invisibles l'accompagnaient.

C'est comme Daniel dans la fosse aux lions. Les anges se tenaient à ses côtés pour empêcher les bestioles de le dévorer, mais les sbires de Nabuchodonosor ne pouvaient pas les voir. Eh bien, c'est pareil pour nous. Un Haïtien ne marche jamais seul. Qu'il le veuille ou non ! Il est toujours flanqué de l'esprit des ancêtres et des mystères vaudou. Et cela, il n'est pas donné au premier petit Blanc venu, même Herr Hitler, de le voir. Voilà comment, selon la légende familiale, le grand-père de l'ambassadeur avait pu échapper aux loups-garous, cochons-sans-poil et autres buveurs de sang humain nazis. Mais il avait trouvé la mort l'année même de sa libération, les poumons rongés par la tuberculose. Drôle de destin pour quelqu'un qui, afin de survivre dans les camps, s'était fait passer pour médecin !

À l'avenir, se dit l'ambassadeur, il faudra faire attention à les contourner, par respect des déportés, partis pour un voyage sans retour. À cette pensée, il se prend la tête dans les mains : mais oui ! Le nom du propriétaire. Il lui avait dit que l'immeuble appartenait à sa famille. Celui d'à côté aussi, peut-être. Si ça se trouve, des membres de sa propre famille avaient connu le même sort.

Trois jours plus tard, entrant dans l'ascenseur, l'ambassadeur tombe nez à nez avec le propriétaire. Tant qu'il l'a sous la main, il lui pose la question qui lui brûle les lèvres depuis leur première rencontre : pourquoi ne lui a-t-il demandé aucune garantie pour la location ? Pourquoi cette confiance ? C'est plutôt rare en affaires, sa formation d'économiste plaide pour lui. L'homme lui dit alors : « Le flair aussi compte en affaires, non ? », avant de lui demander s'il a un instant à lui accorder, « je vous sais très occupé ».

« Ça tombe bien, j'allais déjeuner seul », répond l'ambassadeur, qui décide de laisser tomber le protocole.

Dans une trattoria de la Fasanenstrasse, où l'ambassadeur a ses habitudes, l'homme lui avoue avoir deviné depuis le début sa nationalité. Le frère de sa grand-mère Salomé, le Dr Ruben Schwarzberg, avait trouvé refuge en Haïti pendant la guerre. Lui est né et a grandi aux États-Unis. Après ses études, il est venu faire un stage à Berlin, contre la volonté des autres membres de la tribu familiale, son grand-oncle « haïtien » en particulier, et il y est resté, pour les beaux yeux d'une Berlinoise.

Arrivé au dessert, l'homme lui dit avoir un rêve, celui de visiter Haïti un jour, il l'a promis à sa défunte grand-mère et à son père, Jonathan. Il espère tenir sa promesse assez vite. Seul, dans un premier temps puis, *Beezrat Hachem*, avec ses propres enfants.

Précisions de l'auteur et références

Pour les besoins de la fiction, l'auteur s'est permis quelques libertés historiques à chaque fois que cela a été nécessaire. Il n'est donc pas étonnant de trouver ça et là des anachronismes voulus dans le déroulement des faits. Un exemple parmi d'autres : l'Haïtien Jean-Marcel Nicolas a été interné à Buchenwald en 1944 et pas en 1939, comme indiqué dans le roman.

L'histoire de la nuit du 9 au 10 novembre 1938 et du rôle joué par le représentant d'Haïti, cette nuit-là à Berlin, a été rapportée à l'auteur par l'ex-ambassadeur d'Haïti en Allemagne, M. Alrich Nicolas.

L'histoire de Schlomo et Otto Salzmann, résumée dans le roman, est rapportée par ce dernier lui-même dans une courte nouvelle intitulée « From Austria to Haiti : A True Short Story ». Otto Salzmann n'a jamais voulu quitter Haïti, et sa famille est devenue une grande famille haïtienne (voir référence ci-dessous).

*

François Cartigny, « Nicolas Jean », *http://www.memoresist. org/spip.php?page=oublionspas_detail&id=2655.*
Nérin Gun, Les Secrets des archives américaines : Pétain, Laval et de Gaulle, *Albin Michel, 1979.*

« Haïti et Israël : un lien positif et continu », http://www. mjlf.org/index.php?option=com_content&view=article&i d=365&Itemid=380.

Otto Salzmann, « From Austria to Haiti : A True Short Story ».

Nathalie Szerman, « Haiti : un pays fier de ses Juifs », 3 janvier 2016, http://israelmagazine.co.il/communaute/haiti-pays-fier-juifs/.

Frantz Voltaire, « Juifs et Haïtiens : Une histoire oubliée » (exposition sur la relation entre Juifs et Haïtiens/XXᵉ siècle), Cidihca et Images interculturelles, Montréal, 2010.

Yerouchalmi, « Haïti, les Juifs et Israël », 17 janvier 2010, http://www.desinfos.com/spip.php?page=article&id_article 16680.

Remerciements

Je tiens à remercier pour les bourses de résidence les institutions qui m'ont permis de rédiger ce roman dans de bonnes conditions : l'Institut français de Brême, la Villa Waldberta en Allemagne et la Maison internationale de littérature de Bruxelles Passa Porta.

Je tiens aussi à remercier le Mémorial de la Shoah à Paris et le Centre international de documentation & d'information haïtienne, caribéenne & afro-canadienne (Cidihca) de Montréal, qui m'ont fourni des informations historiques utiles.

Merci également, pour leur disponibilité et leur générosité, à Mme Nadège Le Lan, ex-directrice de l'Institut français de Brême, Mme Adrienne Nizet, directrice adjointe de Passa Porta, MM. Alrich Nicolas, ancien ambassadeur d'Haïti à Berlin, Frantz Voltaire, directeur du Cidihca, Lionel Pierre-Louis et Jozef Kwaterko.

Des remerciements tout particuliers à mon éditrice Sabine Wespieser, qui a permis à ce livre de naître à la lumière.

Table

DU MÊME AUTEUR

Et le soleil se souvient
L'Harmattan, 1989

Le Songe d'une photo d'enfance
Le Serpent à plumes, 1993

Le crayon du bon Dieu n'a pas de gomme
Stock, 1996
Le Serpent à plumes, 2004

L'Autre Face de la mer
Stock, 1998
Le Serpent à plumes, 2005

Rue du Faubourg-Saint-Denis
Roman entrecoupé de douze ponctuations de Romain Gary
Le Rocher, 2005

Les dieux voyagent la nuit
Le Rocher, 2006

L'Ile du bout des rêves
Le Serpent à plumes, 2007

Histoires d'amour impossibles… ou presque
Le Rocher, 2007

Le Roman de Cuba
Le Rocher, 2009

Haïti : une traversée littéraire
(avec Lionel Trouillot)
Philippe Rey, 2010

Transhumances
Riveneuve, 2010

Noires Blessures
Mercure de France, 2011

Ballade d'un amour inachevé
Mercure de France, 2013

En marche sur la terre
Doucey éditions, 2017

RÉALISATION : NORD COMPO À VILLENEUVE- D'ASCQ
IMPRESSION : MAURY IMPRIMEUR À MALESHERBES (45)
DÉPÔT LÉGAL : AVRIL 2018. - N° 137859 (225223)
IMPRIMÉ EN FRANCE